PSICANÁLISE

O que ela pode fazer por você

LENILSON FERREIRA

PSICANÁLISE

O que ela pode fazer por você

Sá editora

Capa
Mateus Reis

Revisão
Margô Negro

Projeto Gráfico (miolo)
Eveline Albuquerque

Impressão
Ripress Gráfica e Editora

DADOS INTERNACIONAIS DE CATALOGAÇÃO NA PUBLICAÇÃO (CIP)
(CÂMARA BRASILEIRA DO LIVRO, SP, BRASIL)

Ferreira, Lenilson
Psicanálise : o que ela pode fazer por você / Lenilson Ferreira. - Barueri : Sá Editora, 2010.

ISBN 978-85-88193-59-8

1. Psicanálise I. Título.

CDD - 616.8917
10-11793 NLM-WM 460

Índices para catálogo sistemático:
1. Psicanálise : Medicina 616.8917

SÁ EDITORA
Tel./Fax: (11) 5051-9085 / 5052-9112
E-mail: atendimento@saeditora.com.br
www.saeditora.com.br

Psicanálise é o nome de um procedimento para investigação de processos mentais que, de outra forma, seriam praticamente inacessíveis.

Sigmund Freud

Sumário

Agradecimentos

A Geanne Ferreira da Conceição, minha mãe, *in memoriam*, que é a grande responsável por tudo que consegui construir em minha vida e que infelizmente não viveu o suficiente para ver um livro meu publicado.

Aos meus amigos: José Luiz Moreira dos Santos, professora Luciana Coelho e à minha irmã, professora Luíza Regina de Castro Alves, por terem paciente e gentilmente lido a primeira versão deste livro e colaborado com valiosas sugestões que tornaram o texto muito mais rico e atraente.

Às cinco pessoas, aqui tornadas anônimas, que tiveram a coragem, a gentileza e a confiança de narrar, com grande riqueza de detalhes e fortes tons emocionais, suas experiências de terem sido ou ainda estarem sendo analisadas e de autorizar sua transcrição neste trabalho.

À minha amiga, psicanalista Vivianne Guimarães, pela elaboração da narrativa do Caso do Senhor N., seu paciente.

Introdução

Tudo é importante. E nada acontece por acaso.
Fala de Sigmund Freud em roteiro de Jean Paul Sartre para o filme *Freud, além da alma* (1962. Direção de John Huston)

A ideia de escrever este livro surgiu do grande número de pessoas à minha volta que fazem perguntas a respeito da Psicanálise. Basta alguém saber que você é psicanalista que logo começam a surgir perguntas. Algumas mais tímidas. Outras mais diretas. Todas elas, porém, revelam um desejo: o de conhecer ou entender melhor esta ciência-arte que, apesar de mais do que centenária, ainda é encarada de forma tão misteriosa...

Ao mesmo tempo que vejo o interesse pela psicanálise se disseminar, sei também que há um grande desconhecimento a respeito. Isso é bastante natural. Acredito que uma série de fatores contribui para que esse interesse seja crescente. Os cem anos da Psicanálise foram comemorados no final do século passado e muitos foram os programas de televisão e rádio que abordaram o tema, além da mídia impressa. Quanto mais se fala a respeito, maior pode ser o interesse despertado. Nesse caso específico da Psicanálise, minha impressão é de que foi precisamente isso que se deu. Por outro lado, vemos a grande mídia e a indústria do entretenimento adotarem o tema psicanalítico em seus trabalhos. Estou falando de peças teatrais, filmes, documentários, matérias de jornais e revistas etc. O divã – o grande ícone da Psicanálise – está definitivamente na moda.

Não é incomum que pessoas procurem as sociedades psicanalíticas – nas quais os psicanalistas são instruídos no mister desta área – com o único intuito de conhecer melhor a Psicanálise e não necessariamente de obter formação para exercê-la como profissão. Isso demonstra o crescente interesse que a Psicanálise tem despertado.

O objetivo central deste livro é explicar o que é a Psicanálise e que tipo de benefício ela pode propiciar àqueles que a experimentam. Nunca vi um livro do tipo nas incontáveis livrarias que frequento. Tive um calafrio quando o editor disse que este trabalho figuraria nas estantes de livros de autoajuda. Pensei até em desistir da ideia, mas voltei atrás. Concluí que se tratava de enorme preconceito de minha parte, pois os livros de autoajuda cumprem um papel importante junto ao seu público.

É um enorme desafio escrever para o leitor que não é iniciado no mundo da Psicanálise e, enquanto escrevo estas palavras, uma forte apreensão surge. Na tentativa de tornar o texto mais claro, optei por evitar citações de autores especializados sempre que possível. Em vez disso, preferi incluir definições e descrições apresentadas pelo *Novo Dicionário Aurélio,* obra geralmente utilizada para o estudo e a compreensão da língua portuguesa.

Você está com este livro em suas mãos porque provavelmente pertence a esse crescente grupo dos que são atraídos por entender a fascinante aventura que a Psicanálise proporciona àqueles que se dispõem a trilhar sua jornada. Seja bem-vindo ao mundo da Psicanálise!

Psicanálise
O que é e para que serve

Olhe dentro das profundezas de sua própria alma e primeiro aprenda a se conhecer, então você entenderá por que esta doença o atingiu e talvez você doravante evite adoecer.

Sigmund Freud

Em uma ensolarada manhã de agosto, parei para colocar combustível no carro em um posto de gasolina no Aterro do Flamengo, zona sul do Rio de Janeiro. O diálogo que ouvi entre o frentista do posto e a moça que atendia atrás do balcão da loja de conveniências tornou-se para mim um símbolo da disseminação e da popularização da Psicanálise no Brasil. Na curta conversa, a jovem queixava-se de estar com problemas.

"Se você tem problemas, vá fazer análise."

Este foi o conselho que o frentista prontamente deu para a moça. Ele não titubeou! Fiquei impressionado principalmente com a forma rápida e natural com que ele deu a sugestão enquanto ria para a colega de trabalho. A moça limitou-se a sorrir de volta e não se aprofundou em uma discussão a respeito do inesperado conselho. Teria ela o considerado seriamente? Teria achado estranha a sugestão e se calado talvez para não demonstrar ignorância? Hoje, penso seriamente na hipótese de a moça da loja de conveniência ter recebido o conselho de forma tão natural que não julgou necessário respondê-lo. Tão natural quanto alguém nos sugerir que devemos ir dormir quando estamos com muito sono ou que não devemos dirigir após ingerir bebida alcoólica. O fato é que o inusitado da cena fez com que essa experiência tenha se transformado para mim em um verdadeiro símbolo. Duas pessoas (ou pelo menos uma) que obviamente não pertencem às classes mais ricas e muito menos às camadas mais letradas de nossa sociedade estavam considerando a hipótese de que a Psicanálise pode ser um caminho para que as pessoas sejam auxiliadas no manejo de seus problemas. Bingo! A Psicanálise – ou ao menos algumas noções a respeito dela – já orbita o conjunto dos valores culturais das hipocritamente ditas camadas menos favorecidas da população, quando deveríamos simplificadamente chamá-las de pobres. O que teria promovido essa popularização da ideia de Psicanálise entre nós? O que teria permitido que a Psicanálise transpusesse os consultórios, as salas de aulas acadêmicas e os salões letrados para chegar a um posto de gasolina no Rio de Janeiro?

A mídia, em suas múltiplas formas de suporte, com toda a certeza foi um dos elementos que colaboraram para tornar a Psicanálise conhecida mesmo entre as classes mais pobres de nossa sociedade. *Fazer análise,* ao menos conceitualmente, parece ter-se tornado algo próximo à realidade das pessoas, não mais uma coisa distante, impensável ou inatingível. As múltiplas representações da arte, como veremos, também deram o seu quinhão de colaboração para a popularização da Psicanálise através da exploração visual e comercial do tema Psicanálise.

Quatro exemplos são muito representativos da difusão do tema Psicanálise nos grandes centros metropolitanos do Brasil. Essa difusão se dá fortemente através de um ícone: o divã, o grande símbolo concreto e visual da Psicanálise. No teatro, tivemos recentemente a peça *Divã,* uma adaptação do romance de mesmo nome da escritora gaúcha Martha Medeiros. No cinema, o filme *Divã,* uma adaptação cinematográfica do mesmo texto. No rádio, temos o programa da rádio CBN chamado *No divã do Gikovate.* Em jornais, temos a coluna Consultório assinada pelo psicanalista Alberto Goldin na *Revista de Domingo* do jornal *O*

Globo. Esses quatro exemplos espelham muito bem como o ícone da Psicanálise tem sido explorado pela mídia e pelas artes.

A peça *Divã* foi vista por mais de 175 mil pessoas. O filme, que é dirigido por José Alvarenga Jr. e tem a atriz Lília Cabral no papel principal, por sua vez, já superou a marca de mais de 1 milhão e meio de espectadores. Esses números comprovam a forte receptividade que o tema tem entre o *respeitável público* que consome produtos culturais da indústria do entretenimento. *Divã*, segundo o texto de divulgação do filme, "é a história de Mercedes, uma mulher de 40 anos que decide procurar um psicanalista, a princípio por curiosidade, mas que acaba transformando sua vida". É muito interessante lermos a sinopse do filme exibida em seu *site*, pois ela nos mostra com clareza de detalhes o impacto que a Psicanálise teve na vida da personagem Mercedes:

"*Divã* conta a história de Mercedes, uma mulher de 40 anos que vive às voltas com as alegrias e desafios da sociedade contemporânea. Casada e mãe de dois filhos, **Mercedes decide, mesmo sem saber bem o porquê, procurar um psicanalista.** E, assim, o que antes era apenas uma curiosidade se transforma em uma **experiência devastadora, que provoca uma série de mudanças em sua vida cotidiana**. No divã, Mercedes questiona o seu casamento, a realização profissional e seu poder de sedução. A melhor amiga, Mônica, a companheira de todos os momentos, vê de perto a **transformação** de Mercedes e participa de suas novas experiências e **descobertas**, apesar de nem sempre concordar com suas escolhas. As revelações de Mercedes para o analista, assim como as conversas com a melhor amiga, dão **novo rumo à vida de Mercedes**, que a princípio parecia boa, estável, mas sem grandes emoções. É só o princípio de uma grande transformação." [1]

Destaquei em negrito algumas passagens dessa sinopse porque elas são fortemente representativas de várias coisas que envolvem a Psicanálise. Não é incomum que pessoas procurem a Psicanálise sem saber exatamente o porquê. Pode haver uma inquietação, uma insatisfação geral e indefinida com a vida. Muitos relatam apenas e tão somente uma insatisfação com a vida, aquilo que os filósofos gostam de chamar de angústia existencial. Um outro aspecto muito interessante dessa experiência psicanalítica ficcional que o filme nos relata é a profunda mudança que a Psicanálise produziu na vida da personagem. Transformações e descobertas surgem em sua vida, que então passa a seguir um novo rumo. A atriz Lília Cabral, quando perguntada sobre como vê a personagem Mercedes, assim responde:

"A Mercedes era uma mulher que pensava que estava vivendo: tinha vinte anos de casada, era professora, gostava de pintar, o marido era advogado.... Mas **a partir do momento em que ela começou a falar, ela foi se conhecendo**. E com isso ela viu que não estava vivendo. Ou melhor, ela estava vivendo, mas não era feliz".

Observe, na parte que destacamos, que a protagonista faz questão de enfatizar que a personagem passou *a se conhecer a partir do momento em que começou a falar*. É exatamente isso que se deseja que ocorra em um consultório de Psicanálise: a pessoa vai se conhecendo melhor a partir do momento em que começa a falar sobre si mesma. Pode parecer muito simples e é muito simples! A força da Psicanálise vem exatamente da fala. É por causa disso que se costuma dizer que Freud foi pioneiro em dar voz àqueles que não tinham sequer o direito de falar de suas dores: aqueles que sofriam de perturbações psicológicas que tinham forte impacto sobre sua qualidade de vida. Até o final do século XIX, muitos eram considerados fingidores e tratados pelos médicos com o mais absoluto desdém.

A Psicanálise, é sempre bom ressaltar, encerra uma experiência única, na qual uma pessoa especialmente treinada e formada para fazê-lo ficará horas e horas a escutá-lo, durante semanas, meses ou mesmo anos. Além disso, você também passará horas e horas a falar sobre você mesmo. Onde mais você poderia ter essa oportunidade?

A coluna Consultório é publicada no encarte chamado *Revista* do jornal *O Globo* desde 1998, segundo seu autor, o psicanalista Alberto Goldin. Os leitores do jornal são convidados a escrever para a coluna e apresentar os problemas que enfrentam em suas vidas, os quais são analisados e interpretados pelo psicanalista. Embora não haja um levantamento preciso referente ao número de pessoas que enviam cartas, *e-mails* ou fax para a coluna, o autor informa que "o número é grande e sempre aumenta". Essa situação, sem dúvida alguma, é um espelho da crescente necessidade que as pessoas têm de buscar soluções para os problemas psíquicos que enfrentam em suas vidas, notadamente aqueles que elas interpretam como associados às suas emoções. Os temas apresentados pelos leitores são os mais variados, a maioria deles tem idade entre 20 e 50 anos e as mulheres escrevem mais do que os homens, segundo informações do autor da coluna.

Na televisão a cabo ou por satélite, a série *Em terapia* faz grande sucesso através do canal HBO. Esta série estreou nos Estados Unidos em 2008, onde se chama *In treatment*. O sucesso dos Estados Unidos repetiu-se no Brasil. Nesta série, o terapeuta Paul Weston, vivido pelo ator Gabriel Byrne, trata de três pacientes individualmente e de um casal. Cada um deles tem uma sessão por semana e a série é apresentada cinco noites por semana nos Estados Unidos. Na quinta noite, o próprio Paul Weston é analisado por sua terapeuta Gina (Dianne Wiest). Embora esta série apresente muitas estratégias adotadas pelo terapeuta que estão longe de representar corretamente a Psicanálise, a inspiração é nitidamente freudiana. O *New York Times*, tido como o jornal mais famoso do mundo, teceu profundos elogios à série, assim como a mídia brasileira o fez.

Enquanto escrevia as últimas páginas deste livro, recebi a informação de que o diretor David Cronenberg levará para as telas de Hollywood a peça *A cura pela palavra* (*The talking cure*) do dramaturgo inglês Christopher Hampton. Esta peça estreou no teatro Cotteslow Theatre em Londres em janeiro de 2003. O enredo é centrado nos tempos em que a Psicanálise estava dando seus primeiros passos e quando havia um atribulado relacionamento entre Sigmund Freud e seu discípulo preferido, Carl Gustav Jung. A peça mostra como o tratamento psicanalítico contribuiu para a saúde psíquica da paciente Sabina Spielrein, a qual teria sido amante de Jung, seu analista. Naquele período do final do século XIX, a Psicanálise era vista pelo meio médico e acadêmico em geral como uma ideia terapêutica radical, principalmente porque ela dava a oportunidade de o paciente falar em profundidade sobre suas mazelas. Dessa forma, o foco estava centrado no paciente. Isso representou uma revolução, pois a Medicina até então centrava suas práticas no médico, pois não concedia aos pacientes, mesmo aos pacientes psiquiátricos, oportunidade para discorrerem em profundidade sobre suas queixas psíquicas.

Análise para quê?

Por que devo fazer análise? Talvez você já tenha se feito esta pergunta. O que este livro propõe é responder a esta pergunta e algumas outras correlacionadas. A ideia central deste livro é apresentar para o público que não tem formação na área psicanalítica quais as contribuições que a Psicanálise pode dar para aliviar o ser humano das dores que todos nós encontramos ao longo da vida. Sigmund Freud, o pai da Psicanálise, disse que, se sua criação servisse para transformar em dor aquilo que para muitos de nós é visto como motivo para desespero, o trabalho de sua vida teria valido a pena.

Nosso objetivo não é apresentar teorias psicanalíticas. Não se trata de um livro voltado especificamente para o público que estuda a Psicanálise. Este público pode até se interessar pelo livro como uma ilustração para seus estudos e pesquisas. Por causa desse objetivo específico, o livro não utiliza termos e expressões classicamente consideradas técnicas. Quando seu emprego for insubstituível, o termo ou expressão será acompanhado de uma explicação.

As palavras do criador da Psicanálise, Sigmund Freud, que foram escolhidas para abrir este capítulo contêm alguns aspectos fundamentais desse campo do saber. Quando Freud recomenda ao seu leitor que "olhe dentro das profundezas de sua própria alma", ele está se referindo à necessidade de imperiosa de que aquele que está sendo analisado *olhe* dentro de sua *alma*. Naturalmente, *as palavras olhar e alma têm aqui um sentido figurado*. Do ponto de vista da Psicanálise, é possível que se *olhe* dentro da mente – que no linguajar dos psicanalistas é chamada de aparelho psíquico – através do que se fala sobre o que se sente. Freud foi um tanto poético nesta fala quando chama de *alma* aquilo que, na realidade, deve ser entendido como *mente*. Essa licenciosidade freudiana deve-se, acreditamos, ao fato de que a raiz da palavra *psíquico* é a palavra *psyche*, que em latim significa *alma*. As palavras de Freud não têm conotação religiosa alguma, principalmente porque ele era um autêntico ateu.

O que Freud deseja expressar nessa frase de profundo significado é que a origem de muitos dos males que nos afligem deve ser encontrada em nossa mente. Nunca é demais lembrar que não é possível que se faça um exame da mente humana do mesmo modo que a moderna neurologia permite que se realizem exames do cérebro. É importante não confundirmos cérebro e mente. Um é concreto. O outro é abstrato. Entendemos que Freud, quando se refere à mente nessa passagem, quer dizer, na realidade, *inconsciente,* que é o pilar central da Psicanálise e que será apresentado mais detalhadamente em um capítulo à frente.

O inconsciente é a parte de nossa mente à qual não temos acesso direto. Isso quer dizer que para termos acesso aos conteúdos da porção maior de nossa mente, o inconsciente, precisaremos utilizar algumas estratégias que nos são apresentadas como ferramentas psicanalíticas.

A partir do momento em que conhecemos e entendemos melhor o nosso inconsciente ou partes dele, temos a possibilidade de compreender a razão de sentirmos certas coisas que nos incomodam. Um clássico exemplo psicanalítico é o de uma mulher que foi tomada pelo medo súbito de beber água. Sentia forte náusea ao aproximar o copo dos lábios. Por causa disso, passou a beber cada vez menos água e, obviamente, as consequências para sua saúde passaram a ser nefastas. Após uma detalhada e apurada análise realizada com o suporte de um analista, esta mulher entendeu que sua aversão à água nasceu quando presenciou uma cena na qual seu cachorro de estimação bebia água do copo que ela havia por engano colocado no chão ao lado de sua cama. Nesse dia, havia sofrido um terrível abalo emocional quando recebeu a notícia do falecimento de uma pessoa muito querida. Estando emocionalmente fragilizada, presenciou a cena na qual o cachorro bebia a água do copo e associou essa cena inusitada ao dissabor da terrível notícia que recebera. Ao compreender o que efetivamente acontecera em sua mente, a mulher foi aos poucos retomando o hábito de beber água e conseguiu superar o trauma. Esse é um caso aparentemente simples, mas interessante o suficiente para ilustrar a recomendação freudiana de que você olhe para dentro de sua alma para entender o porquê de sua doença e, assim, evitar adoecer dela futuramente, superando-a definitivamente.

O que leva uma pessoa a procurar um psicanalista/analista é a dor, como no caso da mulher que parou de beber água após testemunhar a cena do cachorro bebendo água em seu copo. Essa dor, muitas das vezes, é alguma coisa indefinida. A pessoa sente algo que a incomoda, mas não sabe exatamente o que e muito menos o porquê de sentir esse incômodo. Dor é algo que é inerente à vida. Onde há vida há dor. Não há vida sem dor. Portanto, é impossível que alguém viva uma vida absolutamente indolor. Por outro lado, contrariando a realidade, todos nós desejamos viver um estado de felicidade que, em última análise, significaria uma vida sem dor, uma vida apenas de felicidade. Essa é uma busca antiga da humanidade. Uma autêntica utopia, palavra que em grego significa *lugar inexistente.*

Explicações para nosso estado de dor e de como chegar à felicidade tão almejada são dadas por religiões, seitas, filosofias e até mesmo por ramos da ciência. Assim tem sido há séculos. Observe nas livrarias como há livros que ensinam como ser feliz, como atingir suas metas, como tornar-se um milionário e outras práticas que, *a priori,* têm como objetivo tornar a vida mais prazerosa. Por trás desses livros de autoajuda há sempre uma mensagem implícita ou explícita: felicidade! Isso é o que todos querem. O cantor Gonzaguinha cantava uma música cujos versos são uma perfeita síntese para isso. *Ninguém quer a morte/Só saúde e sorte.* A mensagem está em uma letra que fala em ser feliz, em viver e *não ter a vergonha de ser feliz.* Por que será que alguém pode ter vergonha de ser feliz se isso é o que todos desejam? Aí está um bom emprego para a Psicanálise. A questão passa a ser entender por que sentimos coisas que, a princípio, não fazem o menor sentido. Já foi dito que não sabemos por que sentimos muitas coisas, por que queremos outras tantas e até mesmo por que fazemos coisas que não entendemos. Essas três perguntas são fundamentais para explicarmos a aplicabilidade da Psicanálise:

1. Por que sentimos as coisas que sentimos?
2. Por que queremos as coisas que queremos?
3. Por que fazemos as coisas que fazemos?

Naturalmente, responder a essas perguntas nos remete, sem dúvida alguma, a uma outra pergunta que geralmente nos fazemos apenas em momentos cruciais de nossas vidas. Quem sou eu? Esta é uma pergunta que, de uma forma ou de outra, surge um belo dia na vida de todos nós. Respondê-la significa explicar, ao menos em parte, aquelas três perguntas que apresentamos.

Se você já se fez ou se faz ocasional ou regularmente a pergunta clássica "Quem sou eu?", você está com excelentes companhias, pois esta pergunta já foi feita e ainda o é por mentes privilegiadas, que incluem filósofos, cientistas e religiosos. Muitos buscam a resposta para essa crucial pergunta por meio da religião, os psicanalistas a buscam através das trilhas que Sigmund Freud abriu na mente humana para que pudéssemos *ver os segredos que ocultamos tão profundamente de nós mesmos que esquecemos que eles existem.* No entanto, embora não saibamos que eles existem, eles continuam a exercer influência sobre nós. Lembre-se do caso da mulher que parou de beber água. O *segredo* estava escondido em seu inconsciente, mas mesmo assim continuava a exercer influência sobre sua saúde, sobre seu corpo. A Psicanálise ensina que aquilo que se oculta não se perde. Isso significa que aquilo que *empurramos para as profundezas de nosso inconsciente* não será destruído ou desativado. Imagine esses conteúdos inconscientes como forças que, embora lacradas em um compartimento hermético, continuam a pulsar e a irradiar sobre todo o organismo. Assim funciona o inconsciente humano.

É possível que uma das primeiras barreiras com que uma pessoa pode se defrontar enquanto considera a possibilidade de fazer análise é a resistência a ser chamada de "paciente". O senso comum nos indica que paciente é aquela pessoa que está doente. Uma antiga campanha oficial contra acidentes de trânsito diz: "Seja paciente no trânsito para não ser paciente no hospital". Este *slogan* é perfeito para o que temos em mente, que é demonstrar a relação imediata que as pessoas costumam estabelecer entre paciente e hospital. A natural aversão a hospitais levará a uma também natural aversão a ser chamada de paciente. Talvez seja por isso que alguns analistas preferem utilizar a palavra *analisando* em vez da palavra *paciente*. Creio que tal aversão também tem suas raízes no fato de costumarmos associar a ideia de doença apenas às mazelas que afligem nosso corpo. Esquecemos que somos corpo e mente ao mesmo tempo, em vez de sermos um corpo que tem uma mente ou uma mente que tem um corpo. Essa divisão tem criado problemas para a humanidade há muito tempo...

Um outro tipo de preconceito que pode afastar as pessoas da Psicanálise é a infundada crença de que só os *malucos* devem procurar auxílio de profissionais da área *psi*, como psiquiatras, psicanalistas e psicólogos. Essa crença felizmente já não é tão forte no século XXI quanto o era há até bem pouco tempo. O conceito de *qualidade de vida* abriu largas portas para a eliminação de preconceitos como esse. Conhecer-se melhor significa viver melhor, pois o conhecimento torna-nos mais aptos a enfrentar as mazelas que a vida ininterruptamente coloca em nosso caminho. Conhecimento é força.

A Psicanálise pode beneficiar indistintamente homens e mulheres, adultos e crianças de todas as idades. Ao contrário do que se acreditava nos primeiros tempos da Psicanálise, idosos podem e devem ser beneficiados. Muitos psicanalistas afirmam que a maioria dos pacientes em consultórios atualmente é composta por mulheres. É difícil comprovar essa informação, pois pesquisas no setor são escassas quanto a este tema. Entretanto, nossa experiência indica que essa informação não está longe da verdade. Por que os homens estão distante dos consultórios de Psicanálise? Duas frases que ainda são ouvidas atualmente talvez nos deem uma pista para encontrarmos a resposta. Quem nunca ouviu a clássica expressão "Homem não chora"? Quem nunca testemunhou a frase dita explícita ou implicitamente "Seja homem"? Lágrimas são muito comuns em consultórios de Psicanálise. Portanto, podemos ter uma explicação ou um esboço de explicação aqui. Apesar dessas lamentáveis crenças, raiz de ideias preconceituosas e anacrônicas que ainda persistem em pleno século XXI, os homens não devem ser excluídos das possibilidades de benefício que a Psicanálise pode proporcionar à saúde mental das pessoas. Um terço de meus pacientes é homem e reage tão bem à análise quanto as mulheres. Dos cinco casos clássicos estudados e apresentados por Sigmund Freud, quatro são do sexo masculino. Os casos clássicos são aqueles que foram estudados pelo pai da Psicanálise nos primórdios desta ciência e, mais tarde, passaram a servir de parâmetros para que os estudiosos levassem adiante seus estudos e pesquisas. Naturalmente, quanto maiores forem as exigências sociais para que o homem moderno adote comportamentos e práticas inauguradas pelo conceito clássico de masculinidade, maiores serão as barreiras para que eles procurem os consultórios de psicanalistas para enfrentarem suas dores psíquicas. Se o homem se vê como um *Super Homem,* é natural que ele fique longe de quem possa auxiliá-lo, seja em que campo for. Ele se verá como autossuficiente. Entretanto, minha experiência pessoal mostra que aqueles que procuram a Psicanálise sentem-se fortemente beneficiados e auxiliados em sua luta por uma existência com menos dor e sofrimento.

Muita dor e sofrimento tidos como "inevitáveis" poderiam ser evitados pela utilização da Psicanálise. É comum ouvirmos que *fulano é assim mesmo,* ele nasceu desse jeito e não tem conserto ou mesmo o tradicionalíssimo *pau que nasce torto morre torto.* A Psicanálise nos mostra todo o tempo que é possível *endireitar o pau que nasceu torto.* Entenda-se *endireitar* como compreender o porquê do *pau ser torto* e, a partir desse conhecimento, poder ter uma convivência melhor com o fato de se ser um *pau torto.* Quando você ler mais à frente o capítulo no qual pessoas narram sua experiência de serem analisadas, as verá dizendo que a grande mudança foi seu fortalecimento psíquico para enfrentar as adversidades. Em outros casos, o desconforto psíquico é completamente eliminado, como no caso da mulher e do cachorro, que já citamos algumas vezes.

É possível que você já tenha procurado um amigo ou tenha sido procurado por ele dizendo que precisa desabafar. O verbo desabafar é muito interessante. O dicionário *Aurélio* nos ensina que este verbo tem, entre outros sentidos, a ideia de *desafogar-se revelando o que se sente ou pensa.* É por isso que, após conversar com um amigo, uma pessoa pode se sentir aliviada, pois *desabafou.* O interessante é vermos que *desabafar* é a junção de *des + abafar.* Este verbo (*abafar*) tem, entre outros significados, o de *matar por asfixia, sufocar*. Também podemos dizer que um escândalo foi *abafado,* querendo dizer que ele foi *ocultado, escondido* ou *encoberto.* Portanto, aquilo que está *abafado* é aquilo que está *escondido.* Eu fiz esta associação de palavras e de ideias para mostrar que a necessidade de desabafar provém do fato de termos algo escondido e de pensarmos que essa coisa que está escondida pode nos matar se não for revelada. O verbo que escolhemos para descrever essa ação de *revelar o que está oculto* é *desabafar* porque ele provém de *bafo,* que por sua vez significa *ar exalado pelos pulmões* ou *hálito.* Quem já não ouviu a expressão que diz que fulano tem *bafo de bode*? O significado é o de ter mau hálito. Da mesma forma que o *bafo* é o *ar exalado dos pulmões,* quando *desabafamos* precisamos falar e para falar precisamos exalar ar por nossos pulmões. Não é interessante esta cadeia de ideias? É falando que desabafamos, libertamos o bafo, aquilo que está escondido ou oculto.

Esse encadeamento de ideias demonstra que a necessidade de *desabafar* representa o desejo de pôr para fora aquilo que nós, frequentemente de modo *inconsciente,* achamos que pode nos fazer mal, talvez ao ponto de nos matar. Frisei a palavra *inconsciente* porque, geralmente, não temos consciência do elemento causador ou dos elementos causadores dessa necessidade. Ela é quase instintiva. Sentimos a necessidade e procuramos satisfazê-la.

Procuramos alguém que possa ouvir nossas dores e permitir que possamos nos sentir aliviados. Esse alguém costuma ser um amigo que nos ouve e, geralmente, emite opiniões e nos dá conselhos de como devemos agir frente àquela situação que nos oprime. O psicanalista exerce uma função próxima desse amigo que nos ouve e que permite que nos sintamos aliviados ou não. Há, porém, enormes diferenças entre o papel do psicanalista e o do amigo que ouve nossos desabafos. Tudo que um amigo poderá fazer será nos ouvir e dar alguns palpites ou conselhos. Nada mais. Ele poderá fazer com que nos sintamos aliviados, mas não necessariamente mudará nossa postura frente ao problema que enfrentamos. O desabafo proporciona alívio passageiro, pois a pressão por um novo desabafo logo retorna. Dificilmente o amigo que escuta nosso desabafo colaborará para que mudemos nossa forma de encarar o problema e dificilmente permitirá que nos tornemos mais fortes para enfrentar o problema que temos pela frente. Este é o papel do psicanalista. Com a chamada "escuta psicanalítica", ele trabalhará, juntamente com você, para que se torne mais bem estruturado para enfrentar o problema que tem pela frente. O psicanalista, via de regra, não dará conselhos e muito menos orientações. Ele ouvirá e interpretará as situações apresentadas junto com você. É fundamental que você seja parte atuante no trabalho de interpretar aquilo que conta ao analista. A interpretação levará ao conhecimento a respeito do porquê sentimos o que sentimos e isso levará ao fortalecimento psíquico. É assim que funciona essa caminhada a dois chamada Psicanálise. Ela não elimina as dificuldades com as quais nos deparamos ao longo de nossa vida. Seu objetivo não é o de evitar ou solucionar os problemas que enfrentamos na vida. Ela busca nos fortalecer para lidarmos melhor com essas dificuldades. Esse processo é definido como fortalecimento do ego, o qual pode ser entendido, de forma simplificada, como a parte predominantemente consciente de nossa mente.

Já me perguntaram se eu já havia conseguido resolver todos os problemas que enfrento na vida. Achei a pergunta muito interessante, porque representava o fato frequentemente observado de as pessoas pensarem que o analista é uma *superpessoa*, alguém sem problemas em sua existência. Algo que pode diferenciar um analista de um não analista é a maneira de ver a vida e portar-se perante ela principalmente a partir do que aprendeu em sua própria análise. Ele só chega a essa condição através da análise à qual se submete durante seu período de formação em Psicanálise e durante toda a sua vida. Será você que se ajudará quando se decidir a ser analisado e, com isso, procurar entender aquilo que acontece com você e que o aflige. O entendimento é a chave para essa compreensão e, consequentemente, para seu fortalecimento. Você se conhecerá melhor e de forma muito mais profunda através da análise. Conhecendo-se, será capaz de entender-se e terá maior poder frente às vicissitudes da vida. Sigmund Freud afirma que só o conhecimento leva ao poder. Você entenderá melhor esta frase após ter ser sido analisado e conhecer-se mais e melhor.

Conhecer-se é fundamental para que você se fortaleça, sinta-se mais senhor de si mesmo. Sentir-se mais senhor de si mesmo significa precisamente o oposto do que estimula um samba que fez e faz muito sucesso na voz do excelente sambista Zeca Pagodinho. O samba chama-se "Deixa a vida me levar" e é de autoria de Serginho Meriti. É muito provável que você já o tenha ouvido, mas talvez não tenha atentado à proposta de passividade que a letra propõe. A letra conta a história de uma pessoa que afirma que já passou "por quase tudo nesta vida" e que agradece por tudo que Deus lhe deu. O refrão traz a mensagem central da letra: "Deixa a vida me levar/Vida leva eu" e a letra segue afirmando que "o negócio é deixar rolar" e que o sujeito leva sua vida "aos trancos e barrancos." Ora, o que se propõe aqui é que o sujeito seja absolutamente passivo frente à sua própria vida. Ele opta por deixar a vida "levá-lo", em vez de tomar as rédeas de sua própria vida em suas mãos. Como ele prefere "deixar rolar", sua vida vai seguindo "aos trancos e barracos". Isso significa que sua vida vai sendo levada de forma desajeitada e improvisada. Podemos imaginar o quão penosa pode ser a trajetória de vida de alguém que está sendo conduzido e não conduz sua vida. O "ser conduzido" pode ser comparado àquilo que fazemos inconscientemente, sem sermos senhores absolutos de nossos próprios atos. Conduzir a vida, por sua vez, seria comparável às posturas conscientes que tomamos quando somos verdadeiros senhores de nossos próprios atos. O processo analítico levará, se bem conduzido, à segunda alternativa.

Desde tempos muito remotos o homem tem buscado o autoconhecimento. A Psicanálise, sob esta ótica, é uma versão moderna para uma busca que se perde na poeira dos tempos na história da raça humana. Essa busca já foi apresentada sob variadas formas, mas a essência de todas elas pode ser resumida em uma única frase: "Conheça-te a ti mesmo".

O "Conheça-te a ti mesmo" é considerado um aforismo. Aforismos são frases que transmitem um princípio moral em poucas palavras. Este aforismo, segundo contam as lendas e os mitos, estava nos pórticos do templo do deus Apolo na cidade de Delfos na Antiga Grécia. A frase em grego clássico era *ãíöèé óåáõôüí*. Ela chegou até nós na forma também grega *gnôthi seauton* e na forma latina *nosce te ipsum*. É interessante observarmos que o templo dedicado àquele deus era reverenciado em todo o mundo grego antigo. Na verdade, os gregos chamavam o local de *omphalos*, que significa o centro ou o umbigo do mundo. Foi exatamente nesse lugar cercado de tanto mistério que o filósofo Sócrates buscou inspiração para criar a sua filosofia, centrada no conhecimento de si mesmo, no conhecimento introspectivo. Temos aqui um ponto de contato com a Psicanálise, cujo fim último é buscar a verdade do sujeito, a verdade ou as verdades de cada um de nós. Isso só é conseguido através de um mergulho para dentro de si mesmo. Enquanto o filósofo Sócrates chama esse mergulho para dentro de si mesmo como introspecção, os psicanalistas o chamarão de Análise ou de Psicanálise. As técnicas psicanalíticas permitirão que se dê esse mergulho para dentro de si mesmo e que, através dele, as verdades do sujeito sejam descobertas. Falamos de verdades das quais ele mesmo geralmente não suspeita, coisas das quais ele não tem conhecimento por estarem registradas apenas em seu inconsciente, como veremos mais à frente.

Esse não é um grande desafio? Que desafio maior você pode ter do que o de conhecer-se? Esse desafio torna-se maior ainda quando pensamos que nada pode haver de mais interessante para o ser humano do que ele próprio. Já se afirmou que a palavra cujo som é considerado mais doce e significativo para uma pessoa é o seu próprio nome. Não soa no mínimo um pouco estranho quando você pronuncia seu próprio nome? Você já percebeu o quanto soa mais estranho ainda quando você ouve pela primeira vez o seu nome proferido como senhor fulano ou senhora fulana? Parece que estão falando de outra pessoa. Isso está ligado à questão da identidade, de como nos vemos, da imagem que temos de nós mesmos.

Uma outra mensagem muito forte e intrigante, também ligada ao processo do homem conhecer a si próprio, nos chegou através do filósofo alemão Friedrich Nietzsche. Trata-se da mensagem "Torna-te aquilo que tu és". Como é possível que alguém precise se tornar aquilo que já é? A resposta pode ser bastante simples: a pessoa deve descobrir-se para que possa fortalecer-se. Trata-se de uma relação de poder e, por causa disso, o pai da Psicanálise afirmou enfaticamente que "só o conhecimento leva ao poder". Esse processo de nos tornarmos aquilo que somos é, naturalmente, um processo de construção. Na verdade, trata-se de um processo de desvelar, lembrando que este verbo significa "tirar o véu", ou seja, decifrar o mistério. A palavra mistério, por sua vez, também surgiu para expressar uma ideia bastante curiosa. Esta ideia é a de calar-se, fechar-se. Surpreendentemente, a Psicanálise vem transformar em realidade a ideia de decifrar a si mesmo exatamente através do oposto do significado da palavra mistério, uma vez que a Psicanálise propõe chegar ao conhecimento através da fala, que é o oposto do silêncio, do calar-se e do fechar-se.

A terceira mensagem antiga, que também se perde na poeira dos tempos e que segue a mesma linha do autoconhecimento, é ainda mais enigmática. Trata-se daquela que diz: "Antes de conhecer o próximo, conheça-te a ti mesmo". Talvez seja por isso que a formação de um psicanalista parta de uma intensa e extensa autoanálise e de uma análise feita com outro analista. Antes de conhecer aqueles que analisará, o analista deverá autoanalisar-se, buscando entender-se em detalhes e pormenores. Este primeiro ato é solitário. O segundo ato, da chamada análise didática, na qual um analista é analisado por outro analista a fim de aprender como realizar uma análise, é um ato a dois. Costuma-se falar que a análise é uma construção e é exatamente disso que se trata. De algo que se vai construindo aos poucos, lentamente na maior parte do tempo, um pouco mais acelerado em outras vezes. Um processo no qual o tempo é subvertido, pois se transita livremente entre o passado e o presente, na busca de luz ou de luzes que iluminem o sujeito, que leve ao seu autoconhecimento para que ele conheça a si próprio, torne-se aquilo que é e possa, então, conhecer o próximo. Conhecer o próximo significa poder relacionar-se mais e melhor com o mundo ao seu redor, com as pessoas que o cercam, pessoas com quem ele se relacionará através de sua vida.

Um aforismo encontrado na Bíblia e frequentemente citado pelos religiosos é "Conhecereis a verdade e a verdade vos libertará (João 8:32)". Já ouvi quem afirme que esta é a passagem bíblica que mais se aproxima da Psicanálise. Não sei se há outras passagens bíblicas tão ou mais próximas da Psicanálise, mas esta transmite, sem dúvida alguma, uma mensagem inteiramente dentro daquilo que propõe a Psicanálise: uma caminhada em direção às verdades do sujeito através do conhecimento de seus conteúdos psíquicos inconscientes. Nesse sentido, podemos, sim, pensar que o processo analítico pode conduzir uma pessoa à libertação de suas dores psíquicas através do autoconhecimento. Naturalmente, a libertação a que nos referimos não tem nada a ver com a chamada libertação religiosa. A libertação que dissemos estar associada à Psicanálise é a libertação daquilo que não permite que o sujeito possa viver sua vida em sua potencialidade, daquilo que o limita e, consequentemente, o enfraquece. A mulher do caso anteriormente mencionado, cuja psicopatologia (enfermidade mental) consistia em ter desenvolvida uma aversão a beber água, não poderia desenvolver sua vida em todas as suas potencialidades possíveis e almejar desfrutar das alegrias possíveis da vida enquanto não solucionasse essa questão. Devemos lembrar que o tipo de psicopatologia dessa mulher acarreta danos a todo o organismo do paciente devido à necessidade imperiosa que nosso corpo tem de que consumamos água. Além de dores psíquicas, seu problema tinha potencial suficientemente forte para ferir seu corpo.

As noções de força e fraqueza aqui expostas são fundamentais para que entendamos qual é o propósito central da Psicanálise. Trata-se, como já dissemos anteriormente, de fortalecer o sujeito para que ele possa enfrentar com sucesso as dificuldades inerentes à vida. Imagine-se frente a um momento de grandes intempéries em sua vida. Aquele que sabe que passará por um período de grandes dificuldades, sejam de que natureza forem, naturalmente se sentirá muito mais apto para enfrentá-las caso esteja gozando de saúde física e equilíbrio mental. O mesmo se dá quando falamos do assim chamado aparelho psíquico, a sua mente. Quanto mais fortalecido mentalmente você estiver para enfrentar as dificuldades da vida, maiores serão as probabilidades de que encontre soluções que lhe permitam ter sucesso nessa luta. Por causa disso, os antigos diziam "*Mens sana in corpore sano*", ou seja, "Mente sã em corpo são". Esta frase, que se transformou em um aforismo, é encontrada na poesia do poeta romano Juvenal que viveu entre o fim do primeiro e o início do segundo século da era cristã. O autor refere-se em seu texto *As sátiras* àquilo que as pessoas deveriam querer na vida:

Deve-se pedir em oração que a mente seja sã num corpo são. Peça uma alma corajosa que careça do temor da morte, que ponha a longevidade em último lugar entre as bênçãos da natureza, que suporte qualquer tipo de labores, desconheça a ira, nada cobice e creia mais nos labores selvagens de Hércules do que nas satisfações, nos banquetes e camas de plumas de um rei oriental. Revelarei aquilo que podes dar a ti próprio. Certamente, o único caminho de uma vida tranquila passa pela virtude.

A Psicanálise, naturalmente, não propõe virtude alguma, a menos que se considere o autoconhecimento uma virtude a que o comum dos mortais pode almejar alcançar.

Embora também possa ser realizada em grupo, a Psicanálise é essencialmente uma relação entre duas pessoas. Ela é, portanto, algo relacional. Não haverá Psicanálise se não houver esta relação. A relação será construída, mantida e expandida através da fala. Isso significa que a Psicanálise é da ordem do diálogo e nunca é demais lembrarmos que a palavra diálogo significa através (*dia*) da palavra (*logos*). Embora a ausência de palavra – o silêncio – seja extremamente significativa no contexto analítico, é a palavra o elemento régio da realização de uma análise. Nunca ouvi falar em uma pessoa muda que tenha sido analisada, embora haja tantos momentos em que meus pacientes se comportem prolongadamente como tal...

A análise de crianças – também chamadas de pequenos pacientes – se dará fortemente através do brincar. O brincar substituirá o discurso do adulto, que se estrutura em palavras. Se, por um lado, espera-se que a criança brinque na clínica analítica, por outro espera-se que os demais pacientes falem. A utilização da interpretação de desenhos realizados pela pessoa não é uma prática descartada em Psicanálise, embora não seja muito frequente o seu emprego. Um analista de crianças terá em seu consultório muitos brinquedos e materiais para desenhar e para pintar. A maneira como a criança escolhe seus brinquedos e a destinação que dá para eles enquanto brincar serão interpretadas pelo analista da mesma forma que será interpretada a fala de pacientes que não sejam crianças. Já utilizei a técnica do desenho com uma paciente adulta e tive resultados muito positivos. Ela conseguiu expressar através do desenho conteúdos que ainda não havia conseguido expor através da fala. Ela provavelmente sentiu-se mais livre para expressar-se através do desenho do que através de palavras. Seu desenho "falou" mais do que palavras. Isso é fácil de compreender quando lembramos que nosso inconsciente sempre busca uma forma de expressar-se, seja através de palavras, gestos ou dos mais variados sinais, dentre os quais incluem-se desenhos e pinturas.

Nessa altura de sua leitura, é possível que você deva estar novamente se perguntando por que conversar com um amigo ou com uma amiga não poderá ter o mesmo efeito que falar a um psicanalista. Repetimos que a resposta está no fato de que o psicanalista, além de ouvir, o escutará. Escutar é mais profundo do que ouvir. Escutar remete a dar significado e sentido àquilo que ouvimos. Você pode ouvir uma porta bater porque não é surdo, mas poderá não se deter em interpretar o significado daquela batida de porta. Interpretar tem como pré-requisito o ato de escutar. Os significados corretos de *ouvir* e de *escutar* parecem ter como que se diluído em nossa língua, pois estes dois verbos são frequentemente utilizados como sinônimos. *Ouvir* significa *perceber pelo sentido da* audição. *Escutar* significa *estar atento para ouvir.* Portanto, *escutar* pressupõe *canalizar a atenção em direção a algo ou a alguém.* A língua inglesa também tem dois verbos muito interessantes para expressar a dicotomia ouvir-escutar. Ouvir em inglês é *hear.* Escutar em inglês é *listen.* Quando queremos que alguém pare o que está fazendo e nos dê atenção, o verbo empregado é *listen,* pois queremos dizer, inconscientemente, que é importante que a pessoa entenda e interprete aquilo que lhe diremos. Caso contrário, será como ser ouvido por alguém que assiste a um jogo de futebol enquanto pretensamente nos *dá ouvidos.* Aliás, a expressão *dar ouvidos a alguém* traduz com perfeição o que é a escuta psicanalítica, pois a expressão está centrada no ato de *dar.* Em um consultório de Psicanálise há ao menos duas pessoas que estão se dando todo o tempo. Este dar-se é que constitui a relação entre psicanalista e paciente. Caso um dos dois resista a dar-se nesta relação, não haverá Psicanálise, pois o Par Analítico não foi formado.

Costumamos chamar de *Par Analítico* a relação que deve ser estabelecida entre duas pessoas durante uma análise. Esta relação será inexistente – e portanto não haverá Psicanálise propriamente dita – quando este Par Analítico não for formado. Para que ele se componha, é preciso que se estabeleça esta relação entre o analista e o analisando. Várias são as razões para o fracasso da formação deste Par Analítico. Um paciente não se *abrirá* com seu analista se não for instaurada uma atmosfera de confiança entre ambos. Uma outra razão possível para que o Par Analítico não seja construído é o excesso de defesas por parte do paciente. Há pacientes que procuram análise com o objetivo preestabelecido de provar que esta técnica não funciona com ele. A intenção não declarada é a de mostrar ao mundo que ele tem feito tudo que é possível para modificar-se ou aprimorar seu comportamento. O psicanalista precisará, em um caso como este, ter a capacidade de aguardar provavelmente por um longo tempo até que as resistências sejam vencidas e o trabalho analítico possa seguir seu curso.

Por causa da necessidade da formação do Par Analítico é comum que nós psicanalistas utilizemos as primeiras sessões como momentos exploratórios, os quais servirão para definir se a análise poderá ser levada adiante ou não. É possível que após estas sessões exploratórias o analista conclua que não é possível realizar a análise daquela pessoa que o procurou a fim de ser analisada. O Par Analítico não foi formado.

Uma outra possibilidade para a não formação do Par Analítico é a ausência de empatia entre o analista e o paciente. Não estamos falando de simpatia e muito menos de antipatia, que são ideias que surgem naturalmente neste contexto porque estão intimamente associadas à noção de *empatia*. O significado da palavra empatia nos dá a chave mestra para compreendermos esse fenômeno ou a ausência dele. Empatia, etimologicamente, significa dentro (*em*) da dor (*phatos*) do outro. *Phatos* é uma palavra de origem grega que significa *dor*. Portanto, na situação empática há uma pessoa que foi capaz de "sentir" – ao menos em parte – a dor que o outro sente. Em outras palavras, nessa situação, estamos *dentro da dor do outro*. Consequentemente, será necessário que o analista esteja *dentro da dor do outro buscando sentir o que ele realmente sente*. Este é, sem dúvida alguma, um dos muitos capítulos profundamente sutis da Psicanálise, pois muitas vezes não é possível definir-se integralmente o motivo de o Par Analítico não ter sido formado, embora se sinta e se saiba, sem sombra alguma de dúvida, que ele não se formou e não poderá se concretizar entre aquele analista e aquele candidato a analisando.

A antipatia, por sua vez, significa *a ausência da capacidade de sentir a dor do outro* pelo fato de o observador ter-se colocado em oposição àquela situação. A simpatia, por sua vez, significa *estar ao lado do outro*. A posição ideal para que o trabalho analítico seja desenvolvido com sucesso é a de o psicanalista adotar e assumir a postura de empatia para com seu paciente.

O consultório do psicanalista é chamado pelos especialistas de *Setting Analítico*. É interessante notarmos que a expressão *setting* também é utilizada pela indústria cinematográfica para designar o local onde as filmagens ocorrem. Ele é chamado de *setting de filmagem*. Para o psicanalista, este local por excelência é o seu consultório, embora a história da Psicanálise registre casos de psicanalistas que analisavam seus pacientes passeando por jardins ou mesmo à beira mar, como a princesa Maria Bonaparte fez com alguns de seus pacientes na Cote D'Azur. De minha parte, já tive a oportunidade de realizar emergencialmente uma sessão de análise em um jardim e outra na cozinha de um prédio comercial e posso dizer que elas foram muito proveitosas. Creio, porém, que estar deitado em um divã proporciona relaxamento muito importante para que a pessoa possa entregar-se ao processo analítico. Quanto mais relaxada ela estiver, ao menos teoricamente, as barreiras que comumente atrapalham o ato analítico poderão ser de alguma forma atenuadas. Meus pacientes alternam momentos em que desejam deitar-se no divã com momentos em que querem sentar-se em uma cadeira ou poltrona de frente para mim. Na verdade, alguns alternam essas posições durante uma mesma sessão. Quanto a mim, prefiro sempre ficar de frente para a pessoa para que eu possa observá-la em sua totalidade. Sigmund Freud, embora tenha preferido sentar-se em uma poltrona colocada atrás do divã, nos dá esta dica quando afirma que é impossível que uma pessoa guarde um segredo, pois várias partes do seu corpo *falarão* quando os lábios silenciarem. Acredito, portanto, que o analista que se posta por trás da pessoa perde muitas mensagens enviadas sutilmente por seu corpo.

Quando Freud afirma ser impossível guardar completamente um segredo para que ele não chegue ao menos em parte a outras pessoas isso significa também afirmar que *nossas dores falam*. Isso também é o mesmo que afirmarmos que aquilo sobre que nossos lábios se calam encontra outras formas de expressão no corpo humano. Quando você sente ou mesmo deseja algo e não quer que os outros saibam que você o deseja, você não será capaz de esconder tudo a respeito disso de todo mundo o tempo todo. "A dor quer e precisa falar, mesmo que suas mensagens não sejam facilmente compreensíveis." [2] Esta frase é de uma pertinência absoluta quando falamos a respeito daquilo que sentimos e que desejamos omitir. Talvez desejemos omitir até de nós mesmos. A função da Psicanálise será precisamente descobrir o que causa essa dor. A partir dessa compreensão, o que quer que tenha gerado a dor perderá o seu potencial de causar dor para o sujeito.

Quem nunca ouviu alguém dizer que fulano deseja sufocar o sentimento que sente em relação a outra pessoa? É possível, sim, que esse sentimento seja sufocado, mas não eliminado, o que significaria afirmar que ele foi totalmente excluído da consciência daquele que o sentia. Aquilo que é excluído de nossa consciência não se perde. Passa a *habitar* o inconsciente. Imagine uma quantidade de energia elétrica que é expelida de uma usina hidrelétrica, mas que é armazenada de alguma forma ao invés de ser distribuída através das redes de distribuição elétrica, o que seria o procedimento comumente esperado. O fato de esse volume de energia não estar fluindo normalmente através da rede de distribuição elétrica não significa que ele tenha sido destruído. O mesmo se dá com aquilo que procuramos, consciente ou inconscientemente, esquecer. Nós podemos deixar de lembrar, mas não podemos simplesmente destruir esses sentimentos. Da mesma forma que a energia elétrica, eles continuarão a pulsar em alguma parte do chamado aparelho psíquico humano.

A partir desses raciocínios, podemos concluir que um pensamento central elaborado pelo químico francês Antoine Laurent de Lavoisier, que viveu na segunda metade do século XVIII, aplica-se perfeitamente àquilo que excluímos da consciência, mas não conseguimos excluir da mente. "Na natureza nada se perde, nada se cria. Tudo se transforma." Não é exatamente isso que acontece quando reprimimos uma emoção? Aquela emoção que nos era consciente, da qual tínhamos consciência porque sabíamos que ela existia, não se transforma em algo inconsciente e, portanto, conscientemente desconhecido quando a reprimimos? O que era consciente foi transformado em inconsciente através do mecanismo da repressão. O reprimido, porém – nunca é demais repetir –, não se cala na mente humana. Sempre encontra uma forma de se manifestar, como veremos adiante.

Uma experiência que tive em uma sessão clínica realizada por psiquiatras para expor um caso de alcoolismo pode servir como uma boa ilustração para nossa exposição psicanalítica. Uma sessão clínica é uma espécie de reunião de especialistas em que o caso de um paciente é exposto e discutido em detalhes, naturalmente preservando-se sua identidade. Os especialistas trocam ideias sobre que estratégias adotar no tratamento do paciente, se for um caso em curso. Na hipótese de ser um caso já concluído, as experiências que o especialista encarregado adquiriu tratando daquele paciente são compartilhadas com seus colegas. A sessão clínica psiquiátrica que tive a oportunidade de presenciar tratava do tema da deterioração mental de um alcoólatra. Alguns psiquiatras apresentaram nesta sessão o caso dessa pessoa que foi tratada em um hospital psiquiátrico por causa do comprometimento comportamental e mental gerado pelo vício em álcool.

Tratava-se de um homem que tinha o hábito de consumir álcool regularmente desde a juventude. Na idade adulta, o consumo foi aumentado fortemente após dois acontecimentos trágicos em sua vida. O primeiro deles foi a perda do emprego. O segundo trauma aconteceu quando sua esposa se separou dele. Passou a beber muito mais. Sua saúde deteriorou-se rapidamente e logo ele não conseguia mais cuidar de si, ter hábitos de higiene básicos e muito menos orientar-se na rua quando saía de casa.

Esse homem acabou sendo internado em um hospital psiquiátrico, onde foi tratado durante algum tempo principalmente com a utilização de psicofármacos. Foi tratado com atenção e carinho pelos médicos responsáveis pelo caso. Recusou-se a participar das atividades de terapia ocupacional que lhe foram oferecidas. Perdeu rapidamente a memória e logo não era capaz sequer de manter uma simples conversa com alguém.

A fala de um psiquiatra idoso e de cabelos brancos ao final da sessão clínica impressionou-me profundamente. Ele afirmou que estávamos diante de mais um caso de um brasileiro que havia sucumbido à dor e por ele a farmacologia psiquiátrica quase nada ou nada pôde fazer. Os remédios não o ajudaram e ele faleceu.

Em linguagem psicanalítica, dizemos que um caso como este encerra a história do estrangulamento de afetos. Esse homem tentou literalmente afogar suas dores em álcool, como diz o ditado popular. Isso é o que o senso comum costuma narrar a respeito daqueles que têm o vício do alcoolismo. As dores que ele tentou silenciar através do álcool não puderam ser eliminadas ou simplesmente esquecidas. Elas continuaram a doer de forma menos consciente e continuaram a causar estragos em seu aparelho psíquico. O homem, então, penetrou no perigoso ciclo de precisar de mais e mais álcool para tentar afogar a dor. A dor, no final, foi vitoriosa, pois o homem morreu.

Esta história reforça as palavras do escritor inglês Thomas de Quincey. “Não existe esquecimento total: as pegadas impressas na alma são indestrutíveis.” Thomas de Quincey pode falar com autoridade sobre as “pegadas impressas na alma” porque se tornou um viciado em ópio na tentativa de livrar-se de frequentes e dolorosas nevralgias.

São dores como essa que levam as pessoas ao consultório de um psicanalista. Infelizmente, os viciados em drogas não costumam ir por livre e espontânea vontade. São geralmente tratados em hospitais e clínicas, onde costumam chegar com certo grau de comprometimento psíquico. Poderiam ser auxiliados pela Psicanálise se estivessem suficientemente equilibrados para poderem voluntariamente procurar um psicanalista.

O fato de nossa mente não esquecer nenhuma das experiências pelas quais passamos ao longo de nossa vida, principalmente aquelas mais dolorosas que nós frequentemente tentamos relegar ao esquecimento de muitas maneiras, nos leva a concluir que nosso passado possui importância fundamental em nossa formação psicológica. Certos ditados populares são, portanto, um grande erro, segundo a ótica da Psicanálise. "Águas passadas não movem moinhos" é um desses ditados. Sabemos, agora, que a força das "águas passadas" continua, sim, a mover o moinho da mente. Na mesma linha, costumamos ouvir as pessoas dizerem àqueles que tentam consolar em momentos de dor e aflição que "o que passou, passou". Assim como as "águas passadas", esta mensagem é completamente desprovida de verdade, se pensarmos segundo aquilo que a Psicanálise nos ensina. Pensando nisso, Sigmund Freud cunhou uma de suas célebres máximas: "A criança é pai do homem". Este aforismo freudiano é de suma importância para entendermos a importância do passado dentro da Psicanálise. O fato de a criança ser o "pai" do homem significa que aquilo que o homem é foi definido por aquilo que a criança foi. Não é interessante essa forma de pensar? Talvez seja sobre algo nessa linha que as pessoas estejam pensando, mesmo que de forma inconsciente, quando se referem à criança que existe dentro de cada um de nós. A Psicanálise nos ensina que isso é absolutamente verdadeiro, pois nossa infância foi o período no qual foram definidas nossas tendências, nossas formas de ver e atuar no mundo. Esse foi um período crucial na vida de todos nós porque foi nesse momento que foi determinada a forma como nós "funcionamos", se somos mais ou menos irritadiços, mais ou menos seguros, mais ou menos determinados etc. Freud costumava afirmar que sua grande força de vontade e inabalável determinação em atingir seus objetivos provieram do grande amor e do grande apoio que sua mãe lhe dedicou na infância. Por causa disso, pense duas vezes antes de dizer que "o que passou, passou". Um famoso psicanalista inglês chamado Donald Winnicott escreveu um livro chamado *Tudo começa em casa* que nos mostra exatamente o contrário.

É muito comum ouvirmos no consultório psicanalítico as pessoas dizerem: "Eu nunca tinha pensado nisso!". Esta frase é frequentemente dita em tom de emoção. Quando ela acontece, costuma marcar momentos em que eventos e fatos do passado do paciente foram *desencavados* e trazidos à luz da consciência e da compreensão. Nesses momentos, o passado se revela e podemos colocar mais um tijolo na construção do autoentendimento do paciente, na construção daquele edifício que, em última análise, será ele mesmo. Isso acontece porque as *águas passadas* voltam a mover fortemente o moinho da compreensão sobre quem sou, sobre por que faço determinadas coisas e por que quero determinadas coisas. Essa energia psíquica é libertada da forma represada em que se encontrava e surge um lampejo de compreensão por parte do paciente. Ele costuma, então, sentir-se mais seguro quanto ao que desejava saber. Isso referenda, mais uma vez, a velha máxima freudiana de que só o conhecimento leva ao poder.

Muitos dos casos de pessoas que vemos ao nosso redor com comportamentos estranhos, agressivos ou de alguma forma destoando do que seria razoável ou aceitável são, na realidade, casos patológicos, doentios. Ou seja, em vez de termos uma pessoa simplesmente má, temos, na verdade, pessoas enfermas. Aquilo que nos parece falha de caráter muitas vezes nada mais é do que uma doença psíquica que pode ser tratada através da Psicanálise.

"O importante não é aquilo que fazem de nós, mas o que nós mesmos fazemos do que os outros fizeram de nós."

Esta brilhante frase do filósofo francês Jean Paul Sartre tem um profundo significado para a Psicanálise. Muito mais importante do que aquilo que as pessoas nos fazem ao longo da vida é a maneira através da qual reagimos a ela. As nossas reações serão determinantes para o surgimento ou não de problemas psíquicos oriundos dos diversos traumas que vamos sofrendo ao longo da vida. Estaria aí uma explicação científica para a importância do perdão, tão decantado por religiosos? Uma possibilidade interpretativa para a importância do perdão poderia ser o fato de não permitirmos que as coisas para as quais já concedemos nosso perdão continuem a nos importunar. Isso significaria que esses fatos dolorosos não gerariam uma energia psíquica prejudicial à nossa saúde mental.

O marido ciumento que vê amantes da esposa atrás de cada porta embora ela não lhe dê motivos para desconfiança. A jovem mulher que vê todos os seus relacionamentos afetivos se esfumaçarem embora deseje ardentemente ter um companheiro a seu lado. O jovem rapaz tímido que tem sérios problemas em seus relacionamentos profissionais e sentimentais. Estes são três casos para os quais a Psicanálise pode trazer uma forte contribuição. É comum culparem-se pessoas como estas, acusando-as de serem deliberadamente responsáveis por suas dores. Um olhar psicanalítico poderá mostrar que as causas para suas dores frequentemente encontram-se muito antes da época em que vivem. Esse olhar poderá indicar que as raízes dessas dores devem ser encontradas no princípio da vida dessas pessoas, precisamente em suas infâncias, período em que seus padrões de sentir e agir foram determinados a partir das primeiras experiências que tiveram bem no início de suas vidas. Acusar essas pessoas de serem culpadas por suas mazelas é o mesmo que culparmos alguém por ter adquirido uma doença para a qual não contribuiu conscientemente. Pode-se culpar uma mulher por sofrer de tensão pré-menstrual? Uma pessoa pode ser responsável pelas dores reumáticas que sente? Um menino pode ser responsabilizado por suas crises de asma? Estes são alguns exemplos que podemos ter em mente quando acusamos alguém de ser responsável por suas dores psíquicas. Como diz o ditado popular, quem pode atirar a primeira pedra em pessoas assim?

O trabalho psicanalítico realizado em um consultório é, na verdade, um trabalho feito a quatro mãos ou a duas mentes. Tanto o psicanalista quanto o analisando devem trabalhar arduamente durante todo o processo. Se apenas um dos dois estiver realmente interessado em atingir objetivos positivos durante o processo de análise, haverá o inevitável fracasso desse trabalho. Sem trabalho a dois não há trabalho psicanalítico. Apenas uma pessoa que queira sinceramente ser analisada poderá ser analisada. Não é possível forçar alguém a fazer análise porque isso não funcionaria em hipótese alguma. É fundamental que a pessoa esteja realmente envolvida no processo psicanalítico e desejosa de passar pelas dores e sofrimentos que esse processo desencadeia. Só assim o processo terá uma chance de funcionar a contento.

O caso de uma mulher que atendi apenas em quatro sessões é uma boa ilustração para a relação entre aquilo que o povo chama de dores da alma e as possibilidades de auxílio que a Psicanálise oferece. Como são apenas quatro sessões, resolvi descrevê-las porque essa narrativa pode ilustrar vivamente aquilo que queremos que nosso leitor tenha em mente quanto ao que ocorre em uma sessão de Psicanálise.

A paciente que chamarei pelo nome fictício de Úrsula chegou até mim por recomendação de um parente muito próximo. Sua aparência triste impressionou-me desde a primeira sessão. Ela chegou cabisbaixa, olhos postos no chão e sentou-se à minha frente segurando com força uma pequena bolsa que carregava. Seu tom de voz durante toda a primeira sessão soava como o de uma pessoa assustada.

A primeira coisa de que se queixou esta paciente foi de ter tido muitos relacionamentos amorosos fracassados de uma forma muito curiosa. "Eu enjoo de meus relacionamentos e depois me reapaixono", ela disse. Ela tinha cerca de 50 anos e tinha tido alguns relacionamentos amorosos que seguiram um padrão no mínimo curioso. Em determinado momento dos relacionamentos, ela enjoava de seus parceiros e mais tarde voltava a se apaixonar pelos mesmos homens. Esse tipo de comportamento a vinha atormentando ao longo de sua vida desde que ela era uma jovem moça que começava a ter seus primeiros relacionamentos amorosos.

Úrsula relatou na primeira sessão que há muito tempo tomava remédios receitados por médicos. "Já tomei de tudo", ela disse enquanto seus olhos vagavam como que a esmo pelo consultório. Fazia uso de psicofármacos havia cerca de quinze anos e não conseguia mais dormir sem eles. A dor que trazia estampada no rosto era impressionante. Parecia, por isso, muito mais velha do que sua idade efetiva. "Não choro há muito tempo", disse com a testa franzida, os lábios apertados e mãos retesadas enquanto apertavam nervosamente as alças da bolsa. Naquele momento, ocorreu-me que todo o choro não chorado estivesse estampado em seu rosto. Suas dores estavam *falando* da única forma que lhes era possível.

Minha surpresa foi vê-la falar de forma quase ininterrupta durante os cinquenta minutos da primeira sessão. Quase não me deu oportunidade de fazer algum comentário, o que é praxe nas primeiras sessões psicanalíticas que constituem o período que muitos psicanalistas chamam de "período de entrevistas".

Úrsula mostrou-se completamente diferente na segunda sessão em relação à firme disposição de falar a respeito de si que demonstrara na primeira sessão. "Hoje eu não quero falar nada", disse abruptamente logo ao chegar e sentar-se na cadeira à minha frente, recusando o divã que eu havia lhe oferecido. Ficou um longo tempo em silêncio, ao término do qual reclamou de sua vida, de sua incapacidade de chorar, de não conversar com ninguém e de "ficar tudo preso aqui dentro", apontando para o peito. Seu estado de ânimo neste dia foi simbolizado pela emblemática frase: "Viver é muito ruim".

Na quarta e última sessão, Úrsula relatou que seu maior problema era não conseguir dormir. Sentia que os remédios que consumia há mais de uma década pareciam não mais fazer efeito. Relatou que já havia tomado três compridos em vez da dose usual de um comprimido por noite e que mesmo assim não havia conseguido dormir. Informou que precisaria parar a análise por cerca de dois meses, período após o qual retornaria. Ela nunca retornou.

O caso de Úrsula é interessante por vermos como a dor leva uma pessoa a procurar um psicanalista, embora tantas resistam e muitas jamais o façam, seguindo com suas vidas em meio à dor e ao sofrimento que poderiam ao menos ser amenizados ou tornados toleráveis. É um grande avanço passar do desespero de viver uma dor infindável e não compreendida para uma situação de tristeza suportável, na qual o sujeito está mais fortalecido para lidar com as questões que o incomodam, que lhe causam dor e o fazem sofrer.

Por que essa mulher sofria tanto? Quais as raízes desse sofrimento? Nem ela mesma sabia exatamente por que sofria, o que nos leva imediatamente a concluir que as causas possivelmente estão registradas em seu inconsciente, parte da mente a que não temos acesso direto. A mesma dor que conduziu Úrsula ao consultório também a expulsou de lá. O medo de sentir mais dor parece ter sido a causa que a expulsou da Psicanálise. Úrsula era uma mulher refém de seus medos e de suas dores. Sua vida, como se podia perceber pela simples leitura de seu olhar, era uma verdadeira camisa de força. Embora não tenha utilizado a palavra nem uma única vez, durante todo o tempo parecia estar prestes a dizer que sua vida era um inferno.

Acreditamos que há milhões de Úrsulas andando pelas ruas e sofrendo suas infindáveis dores. É muito provável que Úrsula já tenha pensado em suicídio, pois é nessa direção que sua trajetória parece apontar, mas ela não se permitiu abrir-se frente ao psicanalista para que a análise pudesse ser processada. Na realidade, ela não se permitiu abrir-se frente a ela mesma. Quando fugiu da análise, Úrsula fugiu de si mesma. Quando preferiu fugir da análise para evitar mais dor, Úrsula escolheu viver a dor interminável de uma vida inexplicavelmente dolorosa. A Psicanálise, naturalmente, não teria eliminado as dificuldades existentes na vida de Úrsula. Seus problemas continuariam lá cada vez que ela saísse do consultório do analista. O que poderia ter mudado seria a forma de ela lidar com eles. É melhor, por exemplo, encarar uma gripe com uma boa estrutura física do que com a saúde já debilitada por outras enfermidades. Úrsula não deu oportunidade para que a Psicanálise pudesse fortalecê-la psiquicamente para que ela se tornasse uma melhor gestora de sua vida, em vez de viver lamentando-se por estar viva e considerar sua vida uma sucessão de erros desde seu nascimento. "Eu não devia ter nascido", ela disse uma vez. Suas lembranças com relação ao pai e à mãe eram muito ruins, embora ela não as tivesse relatado em muitos detalhes.

Úrsula escolheu o caminho da dor infindável e incompreendida e não deu a si mesma a oportunidade de buscar uma melhor forma de viver. Ela derrotou-se quando deixou que sua dor falasse mais alto. É provável que viesse a suspender a análise mais à frente, caso tivesse continuado o trabalho analítico. Creio que de alguma forma eu ainda espero que ela regresse, que consiga quebrar os grilhões da dor que a imobilizam e dê a si mesma a possibilidade de ter uma esperança...

A Psicanálise, como vemos, tem seus fracassos, mas eles são causados pelos atores envolvidos no processo e não pela estrutura da própria Psicanálise. Analistas e pacientes são responsáveis pelos insucessos. Por se tratar de uma parceria, o sucesso sempre deve ser creditado proporcionalmente a ambos, assim como os eventuais fracassos.

Sigmund Freud
O criador da Psicanálise

O que deseja o psicanalista? Trazer à superfície da consciência tudo o que foi recalcado nela. Ora, todos nós recalcamos muitas coisas que conservamos talvez com dificuldade no nosso inconsciente.

Sigmund Freud

O termo Psicanálise surge pela primeira vez em 1896 para designar um método específico de psicoterapia criado por Sigmund Freud, um médico neurologista austríaco que nasceu no seio de uma família judia.

Freud nasceu na casa de número 117 da rua Schlossergasse em 6 de maio de 1856, em uma cidade então chamada Freiberg, localizada na Morávia, Europa Central, e que então era parte do império austro-húngaro. Esta cidade hoje se chama Pribor e está localizada na República Checa.

Seu pai chamava-se Jakob Freud e era um comerciante de lãs e têxteis. Ele tinha 41 anos quando Freud nasceu e já possuía dois filhos de um casamento anterior. A mãe de Freud chamava-se Amalie. Ela foi a terceira esposa de seu pai e tinha apenas 21 anos quando do nascimento de Sigmund. O pai de Freud era, portanto, vinte anos mais velho do que sua mãe. Freud foi o primeiro dos oito filhos do casal, que, apesar da pobreza da família, fez grandes sacrifícios para dar-lhe uma sólida educação.

O nome *Freud* significa *alegria* em alemão (*Freude*) e é derivado de *Freide,* que era o pré-nome da bisavó materna de Jacob Freud.

Os biógrafos de Sigmund Freud afirmam que sua mãe lhe tinha verdadeira adoração, ao ponto de costumar chamá-lo de "meu Sigi de ouro". Os valores do judaísmo, religião que Freud jamais seguiu, embora sempre afirmasse sua origem judaica, foram-lhe transmitidos principalmente por seu pai.

A família Freud deixou Freiberg em 1859 porque o desenvolvimento industrial provocou um forte impacto negativo sobre a atividade comercial do pai. Após viver por um ano em Leipzig, no leste da Alemanha, Jacob decidiu mudar-se para o bairro judeu de Viena, o centro efervescente da Áustria.

Freud foi um aluno brilhante durante todo seu período escolar. Inicialmente, pensou em estudar direito, mas acabou optando pela medicina, a qual iniciou em 1873 e graduou-se em 1881.

Seus primeiros estudos foram centrados em histologia (o estudo da formação ou disposição e função dos tecidos orgânicos), na anatomia do cérebro e em doenças neurológicas. Posteriormente, direcionou seus estudos ao que chamou de psiconeuroses, especialmente a histeria, um tipo de neurose que se caracteriza pela transformação de conflitos psicológicos em sintomas orgânicos. Vimos um exemplo clássico de histeria no caso da mulher que desenvolveu aversão por beber água após ter visto seu cachorro bebendo água de seu copo.

Freud casou com Martha Bernays em setembro de 1886 aos 26 anos de idade. Teve seu primeiro filho aos 31 anos e o sexto aos 39. O casamento foi determinante para o surgimento da Psicanálise porque levou Freud a abandonar a pesquisa médica em hospitais e o levou a atender pacientes em sua clínica particular, à procura do dinheiro que a pesquisa não lhe traria. Foi durante o estudo dos sofrimentos psíquicos apresentados pelos pacientes de sua clínica que Freud alicerçou toda a teoria que levaria à criação da Psicanálise. Ele percebeu que a origem deste sofrimento psíquico deveria ser encontrada nos primeiros anos de vida de seus pacientes, nas marcas que as primeiras experiências deixaram impressas em suas mentes.

O interesse de Freud pelos distúrbios psíquicos teve um forte impulso após uma viagem de estudos a Paris em 1885. O próprio Freud definiu essa experiência como tendo sido determinante para sua decisão de abandonar a neurologia e aprofundar-se nos estudos das doenças psíquicas.

Seus estudos iniciais foram centrados em pacientes neuróticos utilizando-se da hipnose. Após terem sido hipnotizados, os pacientes relatavam memórias reprimidas das quais não tinham conhecimento consciente. Freud concluiu que essas lembranças eram reprimidas porque estavam relacionadas a fatos que foram interpretados como dolorosos pelos pacientes. O que os pacientes reprimiam era sempre algo que consideravam inconciliável com outros desejos ou com a moral social vigente. Embora os pacientes não tivessem lembrança consciente dessas memórias reprimidas, Freud afirmou que elas não paravam de produzir efeitos sobre eles porque as emoções continuavam a existir em seu inconsciente. As emoções reprimidas terminavam por produzir a neurose, doença psíquica que provoca dor e sofrimento. Os médicos de então tratavam esses pacientes através da utilização de métodos como massagens, hidroterapia e eletrochoque. O próprio Freud chegou a utilizar esses métodos, mas logo os abandonou por perceber sua ineficácia, pois os sintomas neuróticos sempre voltavam após o tratamento.

Freud logo abandonaria o método hipnótico porque reconheceu que nem todos os pacientes eram hipnotizáveis e ele próprio se reconhecia um hipnotizador não muito hábil. A hipnose foi então substituída pela chamada livre associação. A livre associação é tão importante para a prática da Psicanálise em consultórios que atualmente é conhecida como *regra fundamental*. O paciente, segundo essa regra, deve falar ao analista tudo aquilo que lhe vier à mente, principalmente aquilo que se sentir tentado a omitir. Por meio da análise da fala do paciente, Freud descobriu que tinha acesso àquelas memórias reprimidas, as quais, uma vez trazidas à consciência, promoviam a melhora do estado de saúde mental da pessoa. Por causa desse método centrado na livre associação, a Psicanálise tornou-se conhecida como a Cura pela Palavra ou a Terapia da Palavra.

O próprio Freud reconheceu-se como um neurótico obsessivo, mas também afirmou que sua neurose obsessiva foi fundamental para sua disciplina de trabalho e criação, um elemento indispensável para o sucesso de sua produção científica.

Seu trabalho sofreu fortes críticas da sociedade médica de Viena. A principal razão para a forte oposição às ideias de Freud por parte de seus colegas médicos foi o fato de a Psicanálise ter sido construída em torno da sexualidade, incluindo-se a descoberta da chamada sexualidade infantil, que recebeu ataques violentos dentro e fora do meio médico de então. Opondo-se radicalmente às ideias científicas então vigentes, Freud afirmou que a personalidade humana estrutura-se a partir de experiências vividas durante a infância e é nesse período do desenvolvimento humano que as causas das psicopatologias (doenças mentais ou doenças psíquicas) devem ser procuradas.

Em sua busca para entender o funcionamento do inconsciente, o reservatório das lembranças reprimidas, o trabalho de pesquisa de Freud levou-o à interpretação dos sonhos. Seu clássico livro *A interpretação dos sonhos* foi publicado em 1900 e é considerado um marco da Psicanálise. Freud considerou que os sonhos são a estrada real para chegar-se ao inconsciente e baseou seus estudos iniciais nessa área na análise de seus próprios sonhos.

Quando os nazistas anexaram a Áustria em março de 1938, Freud decidiu deixar sua amada Viena, após muita relutância e em meio à forte perseguição contra a comunidade judaica local. Freud, sua filha e sua espoca deixaram Viena e, três meses depois, se estabeleceram em Londres. Na Alemanha, os livros de Freud foram queimados em praça pública pelos nazistas que rotularam a Psicanálise de ciência judaica. Os seguidores de Adolf Hitler baniram as expressões psicanalíticas do vocabulário da Psiquiatria e da Psicologia na

Alemanha, enquanto muitos psicanalistas alemães emigravam para a Inglaterra, para os Estados Unidos e para a Argentina antes da eclosão da 2ª Guerra Mundial. Sua saída da Alemanha, enquanto os nazistas caçavam e assassinavam judeus, só ocorreu por causa do apoio do então presidente americano, Theodore Roosevelt, e do pagamento de um resgate feito por Marie Bonaparte, sobrinha-bisneta de Napoleão Bonaparte e casada com o príncipe Jorge, da Grécia. Marie se tornaria mais tarde uma psicanalista e tradutora incansável dos livros de Freud e é hoje considerada uma das principais figuras responsáveis pela consolidação da Psicanálise na França. Quatro irmãs de Freud morreram em campos de concentração nazistas em Auschwitz e Theresienstadt, após terem sido impedidas de sair de Viena junto com Freud.

Freud morreu em Londres em 23 de setembro de 1939 aos 82 anos, após ter passado por mais de trinta cirurgias em sua luta contra um câncer na mandíbula. A seu próprio pedido e com o consentimento de sua inseparável filha, Anna, seu médico particular, Max Schur, aplicou-lhe três doses de morfina que causaram sua morte. Estava morto o homem que ousou mexer nas obscuras profundezas da mente humana e cujo trabalho modificou irreversivelmente a forma pela qual o homem pensa sobre si mesmo e sobre o mundo.

A casa na qual Freud viveu seus últimos anos em Londres foi reconstituída por seu filho, Ernest Freud, um arquiteto, baseando-se no apartamento no qual seu pai viveu tantos anos em Viena. Anna Freud viveu nessa casa até sua morte em 1982, tendo deixado instruções para que ela fosse transformada em museu. O Museu Freud (Freud Museum) abriu suas portas em 1986 e hoje permite que os visitantes vejam o famoso divã de Freud, sua biblioteca, sua coleção de estátuas e estatuetas e cerca de 25 mil documentos, incluindo fotografias, cartas e fotocópias de manuscritos e correspondências, cujos originais estão conservados na Biblioteca do Congresso dos Estados Unidos em Washington.

O Brasil foi o primeiro país latino-americano a implantar as ideias de Freud, o que se deu entre 1914 e 1930 através do trabalho de vários psiquiatras, segundo a psicanalista francesa Elisabeth Roudinesco, famosa historiadora da Psicanálise. Juliano Moreira, um negro baiano e professor de Psiquiatria da Universidade da Bahia, foi o pioneiro na adoção e na divulgação das ideias de Sigmund Freud. O psiquiatra e psicanalista paulista Durval Marcondes é considerado o fundador do Movimento Psicanalítico no Brasil. Foi um dos fundadores da Sociedade Brasileira de Psicanálise em 1927, a primeira sociedade freudiana do continente latino-americano e que mais tarde se transformaria na atual Sociedade Brasileira de Psicanálise de São Paulo (SBPSP). Criou em 1928 a *Revista Brasileira de Psicanálise,* publicação que foi acolhida com entusiasmo por Sigmund Freud.

A Psicanálise está hoje definitivamente consolidada no Brasil. Existem várias sociedades que formam psicanalistas e o número de faculdades e universidades que oferecem cursos de pós-graduação em Psicanálise é crescente, bem como o total de publicações a respeito.

Consciente & inconsciente

Nosso inconsciente é como uma vasta fábrica subterrânea com intrincado maquinário que nunca está ocioso, em que o trabalho prossegue dia e noite do momento em que nascemos até o momento de nossa morte.

Milton Sapirstein

É comum que as pessoas se perguntem por que tomaram determinada decisão, por que assumiram determinada atitude que, à primeira vista, não combina com elas próprias. Nesses momentos, expressões do tipo "perdi a cabeça" ou "eu não estava em mim" são frequentemente utilizadas.

Perder a cabeça significa que algo que fizemos não combina com nossa prática habitual. *Cabeça,* aqui, significa *consciência*. Quando *perdemos a cabeça,* o que na realidade ocorre é que perdemos o controle *consciente* do que está acontecendo. Procure lembrar-se de coisas que você já fez e que mais tarde lhe pareceram absurdas, inexplicáveis ou ainda coisa pior.

Como é possível que façamos coisas cujo sentido nós mesmos não entendemos? Como é possível que digamos coisas que podem nos parecer completamente absurdas mais tarde? Muitas vezes recorre-se ao artifício da emoção para explicarem-se determinadas atitudes. As pessoas podem afirmar que foram "tomadas pela emoção" e, por causa disso, fizeram o que fizeram. *Emoção,* nesse caso, torna-se sinônimo de anestésico da consciência.

A consciência é aquela parte da mente que, grosso modo, nos dá a ideia de que somos quem somos. O *Dicionário Aurélio* a define como um *atributo altamente desenvolvido na espécie humana* e também como "conhecimento imediato da sua própria atividade psíquica". Por causa disso é que se prefere dizer que é a consciência de cada um que lhe dá a ideia de ele ser quem é.

A Psicanálise considera que a consciência é uma das funções do aparelho psíquico e a chama de *ego*. Esta palavra vem do latim e significa *eu*. O dicionário a define como *o eu de qualquer indivíduo.* Você já deve ter ouvido alguém falar que alguma coisa "faz bem ao ego", que fulano tem um "ego do tamanho do mundo", que "beltrano é egocêntrico". Aquilo que faz bem ao ego faz bem a nós próprios. Portanto, o ego é a parte da mente que nos faz sentir nós próprios. É a parte da mente através da qual temos acesso à realidade. O ego é, então, o gerenciador de nossos contatos com o mundo externo e nós mesmos.

Nem tudo que ocorre em nossa mente é entendido tão clara e objetivamente quanto quando dizemos que algo "faz bem ao ego". Está claro que, nessa situação, algo aconteceu que nos fez muito bem. Portanto, eu fiquei satisfeito, o que equivale a dizer que o meu ego ficou satisfeito. Entretanto, há uma grande parte de nossa mente que não é tão facilmente entendida e explicada quanto podemos entender ou explicar o nosso ego. Estamos falando da porção *inconsciente* de nossa mente.

O inconsciente é o centro de todo o trabalho desenvolvido por Sigmund Freud. Embora Freud não tenha sido o criador desse conceito, que já havia sido abordado por alguns autores antes dele, sua originalidade está em tê-lo utilizado de forma a criar uma terapêutica, uma forma de tratamento para os chamados transtornos da mente. Se fosse necessário resumirmos a Psicanálise em apenas uma única palavra, esta palavra certamente deveria ser *inconsciente.*

Recorremos mais uma vez ao *Dicionário Aurélio* para trazer uma definição curta e objetiva do que seja o inconsciente: *o conjunto dos processos e fatos psíquicos que atuam sobre a conduta do indivíduo, mas escapam ao âmbito da consciência e não po-*

dem a esta ser trazidos por nenhum esforço da vontade e da memória, aflorando, entretanto, nos sonhos, nos atos falhos, nos estados neuróticos ou psicóticos, quando a consciência não está vigilante.

Observe atentamente que a definição do *Dicionário Aurélio* nos ensina que o conteúdo do inconsciente não pode ser trazido à consciência por um esforço de vontade ou de memória. Isso significa que aquilo que recalcamos por nos causar dor e que é deslocado para o inconsciente não poderá ser simplesmente lembrado. Compare com uma situação na qual você esquece o nome de uma pessoa que conhece. Após algum esforço, você poderá lembrar-se desse nome. Isso acontece porque essa lembrança é parte de sua consciência. O mesmo não acontece com aquilo que é parte de seu inconsciente. Lembre-se do caso da jovem que adquiriu o medo de beber água após ter visto seu cachorro bebendo água de seu copo. Este é um típico caso de medo inconsciente porque ela não era capaz de saber exatamente por que havia desenvolvido aquele medo. O trabalho psicanalítico é que revelou este conteúdo de seu inconsciente e, com isso, o trauma foi superado e os sintomas desapareceram.

Os sonhos são uma forma de termos acesso aos conteúdos de nosso inconsciente. Lembre-se que Freud chamou os sonhos de *estrada real para o inconsciente.* Isso acontece porque nosso lado consciente não está em total estado de vigília durante o sonho e, por causa disso, permite que determinados conteúdos possam se manifestar. Imagine uma situação em que uma mulher casada se sinta atraída por outro homem. Por causa de sua formação e pela sua condição de mulher casada, recusa-se a encarar a realidade de estar interessada por outro homem. Procura, então, *eliminar esses pensamentos, procura varrê-los de sua consciência.* Esse desejo será então *deslocado* para o seu inconsciente porque a sua consciência não lhe permite ter esse tipo de anseio. Esse desejo reprimido poderá causar dor e sofrimento psíquico a essa mulher sem que ela saiba claramente, ou conscientemente, a causa de seu padecimento. Acontece que, durante o sono, essa consciência que é o cão de guarda dos valores morais, está ao menos parcialmente *desativada.* Nessa hora, o inconsciente se aproveitará para produzir um sonho no qual essa mesma mulher vive uma tórrida e voluptuosa relação sexual com seu amor proibido. A função da Psicanálise, nesse caso, será analisar o sonho para descobrir quais conteúdos inconscientes estão provocando desconforto psíquico a essa mulher.

O inconsciente ocupa a porção maior do *aparelho psíquico.* Aparelho psíquico é a expressão comumente utilizada pela Psicanálise para referir-se à estrutura da mente humana. Um clássico desenho compara a mente humana a um *iceberg* cujo topo, que é uma pequena parte do total, pode ser visto acima do nível da água do mar, enquanto sua maior parte está submersa. Essa parte submersa representa no desenho a porção inconsciente da mente humana. A parte que se eleva acima do nível do mar é o chamado consciente, uma pequena parte do aparelho psíquico.

A Psicanálise define o consciente como tudo aquilo a que temos acesso imediato quando necessário. Por exemplo, o seu nome é um conteúdo consciente, pois você é capaz de lembrar-se dele sempre que necessário. Não temos acesso tão facilmente aos conteúdos inconscientes de nossa mente, pois eles englobam tudo aquilo que foi recalcado, tendo sido retirado do consciente e removido para o inconsciente. Recalcamos conteúdos que nos causam dor, como, por exemplo, os que nos envergonham, nos embaraçam. Uma mulher descobre através de uma análise que o fato de não gostar de sexo oral deve-se ao fato de ter presenciado quando criança sua mãe e seu pai praticando sexo oral. O choque que a cena lhe causou fez com que ela reprimisse a lembrança dessa experiência. Esse material passou, então, a existir em seu inconsciente. Ele não foi eliminado. Foi excluído de sua consciência, mas continuou a produzir efeitos sobre seu comportamento. É por causa disso que os psicanalistas afirmam que aquilo que é excluído da consciência não deixa de produzir efeitos. A frase clássica é *o que é excluído não se perde.*

Não temos acesso fácil e direto aos conteúdos de nosso inconsciente porque esses conteúdos nos causam algum tipo de dor. Trata-se de dor psíquica que costuma produzir efeitos sobre nosso corpo. É comum concluirmos através da análise que algumas dores que os pacientes sentem em seus corpos têm origem em suas mentes. Analisando-se a mente e descobrindo-se o que as causa é possível eliminarem-se as dores.

O simbolismo do *iceberg* nos leva a concluir que a maior parte de nossa mente é desconhecida para cada um de nós. Isso nos faz crer que o que realmente nos move é o nosso inconsciente. Dessa conclusão surgiu o famoso aforismo *o ego não é senhor em sua própria casa.* A tradução para esse clássico aforismo é que não somos senhores absolutos de nossos atos, pois há muito em nosso comportamento que nós próprios não entendemos perfeitamente.

Segundo Freud, o conteúdo do inconsciente humano engloba, como já dissemos, tudo aquilo que reprimimos, tudo aquilo que retiramos de nosso consciente. É papel central da Psicanálise acessar esses conteúdos para analisá-los e contribuir para a saúde psíquica da pessoa. A questão, então, passa a ser como ter acesso a esses conteúdos. Quando queremos nos lembrar de nosso nome não precisamos fazer muito esforço porque essa informação é facilmente acessada. É uma lembrança que nos acompanha conscientemente todo o tempo. Nós a utilizamos com muita frequência. O mesmo não podemos dizer da mulher que presenciou a cena de sexo oral entre sua mãe e seu pai. Esse não é o tipo de lembrança que nos cause prazer e, por isso, costumamos reprimi-la, abrigando-a em nosso inconsciente.

Como então podemos ter acesso aos conteúdos reprimidos de nosso inconsciente para que possamos entender por que sentimos o que sentimos, fazemos o que fazemos e queremos o que queremos? Sigmund Freud enumera duas formas principais de acesso ao inconsciente: os sonhos e os atos falhos.

Lembramos mais uma vez que Freud chamou os sonhos de a estrada real para o inconsciente. Esta expressão já nos mostra a importância que a Psicanálise confere aos sonhos. Não é por acaso que o livro *A interpretação dos sonhos* costuma ser considerado como o marco inaugural da Psicanálise. Como ele tem data de publicação de 1900, comemorou-se no ano 2000 o primeiro centenário da Psicanálise.

Quando há um conflito entre aquilo que desejamos e nossos valores que proíbem esse desejo, pode haver o surgimento da chamada *neurose*. O *Dicionário Aurélio* define *neurose* como uma *per-*

turbação mental que não compromete as funções essenciais da personalidade e em que o indivíduo mantém penosa consciência de seu estado. A moça que perdeu a vontade de beber água pode ser considerada uma neurótica, na qual o conflito psíquico acabou por refletir-se em seu corpo como um sintoma de seus males psíquicos. Podemos também exemplificar a neurose com a história de um adolescente com problemas para ejacular após a masturbação, mas não durante o ato sexual com uma parceira. A análise demonstrou que esse comportamento neurótico teve como causa a opressão dos pais contra a masturbação. O rapaz assumiu inconscientemente que aquilo era algo sujo, pecaminoso ou apenas proibido. Por causa disso não conseguia ejacular quando se masturbava. Como não associou as críticas de seus pais ao sexo com uma parceira, nessa prática sexual não tinha problema algum para ejacular.

Em linhas gerais, é muito difícil definir quem é neurótico e quem é normal, principalmente porque o conceito de *normalidade* é um dos mais complexos nas chamadas ciências *psi*. Afirma-se, por exemplo, que somos todos neuróticos em maior ou menor grau.

A usual lucidez e grande objetividade na explicação e na exemplificação do nosso já conhecido doutor David Zimerman assim define os pacientes neuróticos:

"Os pacientes portadores de estruturas neuróticas caracterizam-se pelo fato de apresentarem algum grau de sofrimento e de desadaptação em alguma, ou mais de uma, área importante de sua vida: sexual, familiar, profissional ou social, incluído, também, é evidente, seu particular e permanentemente predominante estado mental de bem ou de mal-estar consigo próprio. (...) No entanto, apesar de que o sofrimento e o prejuízo, em alguns casos, possam alcançar níveis de gravidade, os indivíduos neuróticos sempre conservam uma (...) boa capacidade de juízo crítico e de adaptação à realidade." [3]

Quando a capacidade de perceber e de compreender a realidade for comprometida, estaremos frente a uma *psicose*. Um exemplo claro é de um homem que se achava tão atraente para as mulheres e com capacidade tão grande de conquistá-las que terminou por se achar o próprio *Don Juan*. É importante sabermos que o termo *psicose* foi criado em meados do século XIX e os especialistas passaram a utilizá-lo em substituição à palavra *loucura,* que carrega em si ideias muito negativas que costumam produzir forte preconceito social contra aqueles que sofrem desse mal.

O neurótico é o paciente clássico da Psicanálise, cuja ação terapêutica poderá trazer muitos ganhos para sua saúde psíquica e lhe proporcionar melhor qualidade de vida. Não há consenso entre os especialistas quanto à eficácia da Psicanálise para o tratamento de psicóticos, embora alguns teóricos considerem que a análise também pode contribuir para a saúde mental desses pacientes.

Quando pensamos nos complexos conceitos do que seja *normal* ou *anormal* em se tratando da saúde mental de uma pessoa, nos vêm à mente as palavras do romancista inglês William Somerset Maugham:

"O normal é aquilo que raramente se encontra. O normal é um ideal. É um quadro que se fabrica a partir das características médias dos homens. Encontrá-las todas em um único homem dificilmente é algo que se deva esperar". [4]

Como é uma sessão de análise?

Uma das grandes revoluções da Psicanálise foi abolir a separação tradicional entre o médico e o paciente. Ao dar a palavra ao paciente, e não à nosografia (classificação das doenças), *e ao considerar que o próprio sujeito podia verbalizar seus sintomas, a doutrina freudiana permitiu que antigos pacientes se transformassem, por sua vez, em terapeutas. (...) Mais do que eliminar os sintomas ou pretender erradicá-los, a Psicanálise apontou o caminho para uma certa sabedoria: a cura equivale tanto a uma transformação quanto a uma aceitação de si mesmo.*

Elisabeth Roudinesco
Psicanalista e historiadora francesa

Pessoas que nunca fizeram análise têm uma salutar curiosidade de saber como é uma sessão de Psicanálise, o que acontece dentro do consultório quando analista e analisando se põem a trabalhar conjuntamente. Não é incomum que em eventos sociais, tais como festas e encontros em bares e restaurantes, pergunte-se ao Psicanalista como é seu trabalho.

Há uma certa aura de mistério sobre o que acontece no consultório psicanalítico. Talvez a origem desse mistério deva-se ao fato de que o trabalho psicanalítico lide em sua essência com algo tão misterioso quanto a mente humana. Uma outra questão que contribuiu para que se criasse essa aura de mistério em torno da Psicanálise está relacionada ao fato de que durante muito tempo os Psicanalistas evitaram aparecer na mídia, isolando-se em seus consultórios e em suas associações, que se tornaram verdadeiros *clubes privês*. Criou-se, portanto, uma aura de mistério entre esses profissionais. Isso está radicalmente mudado hoje. A todo momento, vemos psicanalistas emitindo suas opiniões sobre os mais variados assuntos nos jornais impressos, nos jornais televisados, em rádios, em revistas e em incontáveis sites na internet. Cada vez mais, os psicanalistas são instados pela sociedade a dar sua contribuição em relação à interpretação de fatos e acontecimentos de nosso cotidiano. A sociedade é movida por aquilo que em Psicanálise chamamos de *pulsão epistemofílica*, que nada mais é do que um impulso em direção ao conhecimento, ao saber. A palavra *episteme* vem do grego e significa *ciência ou conhecimento*. Portanto, uma pulsão epistemofílica é aquilo que nos move em direção ao conhecimento, expressando nosso desejo de conhecer.

Decidir quando sua análise iniciará é uma questão fundamental. Como o que conduz uma pessoa à análise geralmente é a dor, quanto maior for essa dor psíquica ou dor física, maiores serão as probabilidades de que uma pessoa decida por iniciar sua análise. É de suma importância que, ao iniciar sua análise, você tenha claro em sua mente que está iniciando um trabalho que poderá levar meses ou anos e exigirá dedicação e comprometimento de sua parte. Um eficiente e saudável trabalho psicanalítico não deve ser pretendido em dias ou semanas, mas sim em meses ou anos.

É fundamental que você perceba que o sucesso de uma análise dependerá do trabalho conjunto do analista e do analisando. Quando você vai a um médico, as expectativas são completamente diferentes. Quando você, por exemplo, consulta um cardiologista, você vai preparado a explicar o que tem sentido e espera que ele lhe diga o que você deve fazer. Cabe ao médico explicar o porquê das dores que sentimos e propor uma solução para eliminá-las. Isso costuma envolver a realização de exames, a utilização de medicamentos ou mesmo nos submetermos a uma cirurgia. O médico, enfim, é aquele que tem o saber que nós legitimamente esperamos que nos alivie de nossas dores. Isso não acontece com um Psicanalista. Apenas o saber dele não será suficiente para aliviá-lo de suas dores se você não se comprometer a trabalhar duro durante toda a análise e efetivamente vier a fazê-lo. O trabalho analítico é o trabalho de duas pessoas. O trabalho do analista funcionará como uma luz que iluminará certos pontos para que você preste atenção neles, compreenda o motivo de suas dores e, através dessa compreensão, atinja mudanças em sua conduta que lhe permitirão viver de um modo melhor.

Muito mais do que o conceito de *cura*, a Psicanálise propõe o conceito de *fortalecimento mental*. Uma mente fortalecida será aquela que lidará com as vicissitudes que pontuam a vida de todo ser humano neste planeta. A maneira como lidamos com as diversas perdas e frustrações que enfrentamos ao longo da vida é diretamente determinada pelo nosso *potencial mental* e isso significa uma mente forte que permitirá que não venhamos a sucumbir em meio à dor e ao sofrimento do viver.

Caso você alguma vez já tenha considerado a hipótese de *fazer análise*, é importante que perceba se não está adiando ou se já adiou o seu início utilizando-se de defesas que visam poupá-lo da dor de ter de enfrentar questões que são muito delicadas e sensíveis para você. É comum ouvirmos pessoas que dizem que não fazem análise porque não acreditam que outra pessoa possa resolver seus problemas. Creio que já respondemos a essa questão quando comparamos em uma passagem anterior o trabalho de um psicanalista e o trabalho de um cardiologista. Ouvi recentemente uma frase muito interessante. *"Os psicanalistas são as pessoas mais mal resolvidas que existem. Como podem querer ajudar alguém?"* Essa pessoa com toda certeza desconhece que um analista também é analisado – e de forma extensa – durante sua formação profissional e que sua formação continuará indefinidamente através da participação em seminários, congressos, grupos de discussão e constante contato ao menos com um outro colega mais experiente para discutir casos específicos. A pessoa que disse aquela frase sobre os *psicanalistas mal resolvidos* provavelmente a utilizou como uma desculpa para evitar submeter-se a uma análise ou a algum outro tipo de psicoterapia. Ela passava por um momento muito delicado de sua vida, encarando fortes turbulências emocionais e grandes perdas. O que ela fez foi se utilizar do que a Psicanálise chama de *mecanismo de defesa.* Ela criou uma justificativa fantasiosa para embasar sua decisão de não iniciar uma análise, embora consciente ou inconscientemente soubesse que necessitava dela. *Como é que alguém que é mal resolvido pode resolver ou me auxiliar a resolver os meus problemas?* Esta é a estrutura de seu raciocínio criado, repetimos, para justificar sua decisão de não enfrentar o processo analítico. O que essa pessoa na realidade parecia querer dizer era algo como *"Preciso desesperadamente de ajuda e tenho medo de me expor abertamente perante outra pessoa".*

Existem verdades sobre nós mesmos que preferimos fingir que não sabemos, mesmo que para isso seja necessário negar a realidade. É importante que isso seja dito porque durante uma análise não há limite nem barreira para o que pode e deve ser dito. Não há segredo de forma alguma, não há tema tabu e nem assunto embaraçoso que não deva ser falado ao analista. Quando você estiver frente a frente com seu analista, o que deverá prevalecer acima de tudo será a *regra fundamental*. Lembra-se dela? Ela é absolutamente simples e incrivelmente profunda: fale sobre tudo que lhe vier à mente, principalmente aquilo que você tiver vontade de ocultar, de esconder, de não expor a uma outra pessoa e a guardar como um segredo. Não pode haver segredos em uma análise!

Na abertura deste capítulo incluímos uma fala de Sigmund Freud na qual ele faz uma pergunta muito interessante: "O que deseja o psicanalista?". Tanto a pergunta quanto a resposta de Freud não poderiam ter sido mais diretas, claras e objetivas a respeito daquilo que entendemos que efetivamente acontece em sessões de análise quando há o desejo sério de auxiliar o paciente, qualquer que seja a denominação psicanalítica a que se integre o profissional de análise.

Um psicanalista não prescreve medicamentos em hipótese alguma, a menos que também seja um médico psiquiatra. O remédio que um psicanalista dá ao seu paciente é a escuta que lhe é fornecida. Cada interpretação daquilo que o analisando diz na sessão analítica também funciona como um medicamento que esperamos venha a conduzir ao fortalecimento mental do paciente e, por extensão, à superação de suas dificuldades psíquicas. Prescrever medicamentos na linha de psicofármacos é competência exclusiva de um psiquiatra. Como exemplo de psicofármaco muito popular podemos citar o Prozac.

Conheço um psicanalista que também é psiquiatra. Ele tem como hábito utilizar seu talão de receitas para prescrever para seus pacientes práticas como "Não esquecer de dizer para sua esposa que a ama" ou "Não esquecer de sorrir com frequência". Estas práticas à primeira vista não traduzem bons procedimentos psicanalíticos clássicos, mas refletem de forma interessante o estilo pessoal desse psicanalista. É importante frisar que o psicanalista não é um profissional cuja função seja a de orientar ou aconselhar seus pacientes. Não damos instruções ou aconselhamento, pois não devemos ser modelos para nossos pacientes e muito menos posar como sábios. O conhecimento que detemos da técnica e da prática de psicanálise é empregado exclusivamente na escuta e nas interpretações que acontecem nas sessões psicanalíticas. É da fala do paciente que surgirá a luz para sua cura. Por extensão, podemos afirmar sem sombra alguma de dúvida que a cura para os males psíquicos do paciente encontra-se dentro dele mesmo. Tudo do que ele precisa é de um profissional devidamente habilitado para orientá-lo nessa trajetória.

Outra pergunta que as pessoas me fazem com muita frequência é a respeito da diferença ou das diferenças entre a psicanálise, a psicologia e a psiquiatria. É muito comum que estas três áreas sejam confundidas, pois as atividades de seus profissionais não são muito claras para o grande público.

Para manter a estratégia de utilizar um dicionário de língua portuguesa como ilustrador de alguns conceitos apresentados neste livro, vou retornar ao nosso *Dicionário Aurélio*. As definições apresentadas para estas três áreas são as seguintes:

Psiquiatria – Parte da *medicina* que trata do estudo e tratamento das doenças mentais.

Psicologia – A ciência dos fenômenos psíquicos e do *comportamento*.

Psicanálise – Método de tratamento, criado por Sigmund Freud, das desordens mentais e emocionais que constituem a estrutura das neuroses e psicoses, por meio de uma *investigação psicológica profunda dos processos mentais*.

Destaquei em cada uma das definições uma palavra ou algumas palavras que entendo representar fielmente o principal aspecto de cada uma destas três áreas do saber.

A Psiquiatria, como vimos, é uma especialidade da medicina. O psiquiatra é alguém que estudou seis anos em um curso de medicina e, depois de formado, especializou-se em Psiquiatria. Ele é um especialista na prevenção, no diagnóstico e no tratamento de transtornos mentais, que são doenças que modificam o comportamento da pessoa e a maneira de seu organismo funcionar. Por ser um médico, o psiquiatra está legalmente habilitado a prescrever medicamentos. O tratamento que o psiquiatra fornece a seus pacientes é basicamente medicamentoso, através da utilização de remédios que agem no sistema nervoso, tais como antidepressivos e ansiolíticos. Como nas demais áreas da medicina, o psiquiatra busca conduzir seu paciente a um estado considerado de normalidade. Para melhor entender essa ideia, pense em um dermatologista. Caso você tenha algum problema de pele, o dermatologista o tratará através de medicamentos cuja função será eliminar o problema, restituindo a pele ao estado de normalidade, que aqui equivale ao estado sadio. É comum que psiquiatras estudem Psicanálise e, assim, passem a praticar a chamada Psiquiatria Dinâmica, que é a utilização combinada de conhecimentos gerados pela medicina e de conhecimentos gerados pela Psicanálise. Essa união é fortemente simbólica de uma filosofia cada vez mais difundida e aceita: a biologia e a química são fundamentais para o entendimento do comportamento humano, mas não podem explicar tudo quando se trata da mente humana. Outro tipo de conhecimento é necessário e a Psicanálise se apresenta exatamente para exercer esse papel.

A função central da Psicologia é corrigir comportamentos a fim de corrigir dores psíquicas causadas por esses comportamentos. Há quem diga que o objetivo central da Psicologia é, por causa disso, proporcionar a felicidade, uma vez que ela busca adequar comportamentos e, assim, evitar dores que criam infelicidade naqueles que a sentem. O psicólogo, assim como o psiquiatra, aprende o seu ofício em um curso universitário e, ao contrário deste, não tem habilitação legal para prescrever medicamentos.

Quanto à Psicanálise, entendemos que já falamos bastante a respeito de seus objetivos e de seu método de trabalho. Entretanto, nunca é demais lembrarmos que sua meta central é investigar no inconsciente humano a causa de seus sofrimentos. Por causa dessa meta de investigar o inconsciente, a Psicanálise já foi chamada de Psicologia Profunda.

O psicanalista e psiquiatra Jorge Forbes apresenta a diferença entre a Psiquiatria e a Psicanálise de forma bastante poética. [5] Ele compara o psiquiatra e o psicanalista a pessoas que caminham junto a um paciente. O psiquiatra caminha na frente, conduzindo o paciente a um estado de normalidade que ele sabe qual é. Vai, portanto, à frente, porque sabe em qual direção caminhar. Ele conduz o paciente em direção a um caminho que ele conhece: o caminho que conduz à saúde mental, que é aqui entendida como a eliminação dos sintomas apresentados. O psicanalista caminharia atrás do paciente, sem interferir diretamente em sua caminhada. Ele segue atrás porque não é responsável direto pela direção na qual o paciente seguirá. Ele não direciona o paciente, mas não o deixa parar de andar. A esta bela e poética explicação permito-me acrescentar a figura do psicólogo. Ele caminharia ao lado do paciente, observando o seu comportamento e procurando corrigi-lo, adequando-o a um estado de funcionalidade perante os afazeres da vida.

Dessa forma, o psicanalista é aquele profissional que instiga alguém a continuar a caminhar em direção ao entendimento de suas dores. Segundo Jorge Forbes, "o analista é alguém que não deixa você desistir de você mesmo". Ele trabalhará permanentemente para que sua compreensão a respeito de você mesmo seja mais e mais profunda, trazendo para sua consciência o que anteriormente residia em seu inconsciente. Quanto maior for o conhecimento de si próprio, mais preparado você estará para enfrentar a vida e a condição de ser humano.

É muito comum que os pacientes nos perguntem o que devem fazer em relação aos problemas que enfrentam em suas vidas. "Devo me separar de minha esposa?" ou "O senhor acha que devo trocar de emprego?" são perguntas que ouvimos com frequência. Nesses momentos, o bom psicanalista procurará voltar a pergunta ao paciente a fim de elucidar por que ele precisa fazer esse tipo de pergunta ou pedido de orientação.

Como é o consultório de um psicanalista? Ouço esta pergunta com relativa frequência. Concluí que este é mais um dos bastiões de mistério que, aos olhos do público leigo, ainda cercam o trabalho de um psicanalista. O consultório de psicanálise é uma sala onde o trabalho analítico propriamente dito acontecerá. Geralmente há um divã onde a pessoa se deitará e uma poltrona onde o analista se sentará para realizar seu trabalho. Uma outra poltrona também poderá ser utilizada pelo paciente nos momentos em que ele não estiver deitado, principalmente durante a primeira fase do trabalho psicanalítico, a chamada fase de entrevista.

Um grande número de psicanalistas inicia seu trabalho pela chamada fase de entrevista. O analisando ou paciente é recebido no consultório em dia e hora previamente agendados e o trabalho analítico é iniciado. A entrevista pode durar várias sessões, na dependência exclusiva da necessidade que o psicanalista identifica em cada caso. O objetivo desse período da análise é estabelecer um perfil geral do analisando ou paciente.

A primeira abordagem feita pelo psicanalista costuma referir-se à razão de ter a pessoa procurado análise. O analista busca definir a "queixa principal" que a pessoa trará para a análise. Muitas vezes a queixa principal é algo vago que precisará ser esmiuçado durante a análise. É comum que pacientes se queixem de uma falta de sentido na vida, uma angústia indefinida ou uma profunda inquietação perante a vida. Outros pacientes trarão reclamações muito mais específicas, do tipo falta de adaptação social, dependência de drogas ou insatisfação com sua vida matrimonial.

O período de entrevista servirá, como dissemos, para que o analista estabeleça um perfil geral do seu possível novo paciente. Serão feitas perguntas sobre sua origem familiar, seus pais, irmãos, sua criação, sua fase infantil, sua adolescência, doenças anteriores ou atuais, *hobbies* e estado civil, dentre outras.

Durante o período de entrevista, o analista está preocupado em perceber indícios da possibilidade de ser criado o chamado Par Analítico, um conceito fundamental para que a análise aconteça.

Como já foi anteriormente dito, ele representa o estabelecimento de laços de confiança entre o analista e o analisando, situação sem a qual a análise não poderá se desenvolver. Por causa disso é que apenas quem deseja ser analisado pode ser efetivamente analisado. Não é possível analisar quem não queira ser analisado. Não há análise quando não há confiança recíproca entre analista e analisando. Como esperar que, sem laços mínimos de confiança, alguém fale de suas mais profundas intimidades para outra pessoa que ela acaba de conhecer? O analisando deverá contar para o analista coisas que jamais contaria mesmo para as pessoas que lhe são mais próximas. Homens deverão expor para o analista fatos que jamais expuseram para suas esposas com quem têm décadas de convivência. Mulheres deverão expor em detalhes e sem nada omitir fatos e acontecimentos que jamais tiveram coragem de contar sequer para suas amigas mais íntimas ou mesmo para seus maridos. Esta é a primeira fronteira que deve ser vencida no trabalho analítico: a construção de laços de confiança mútua entre analista e analisando.

É possível que a análise não vá além da fase de entrevista, seja porque o analista decidiu que não deverá analisar aquele paciente, seja porque a pessoa decidiu que não se adaptou ou não gostou do analista. Isso não é raro de acontecer, principalmente quando a pessoa já tem experiência analítica com outro analista. Nessa situação, ela poderá comparar a forma de trabalho e decidir se prefere o estilo deste Analista ou não. Temos aqui algo bem parecido àquilo que acontece quando consultamos um médico de uma determinada especialidade após já termos nos consultado durante algum período com outro profissional da mesma especialidade. Em geral, não nos incomodamos muito se não sentirmos empatia ou mesmo simpatia pelo médico porque sabemos, mesmo inconscientemente, que não precisaremos vê-lo regularmente. A relação com um psicanalista é exatamente o oposto. Os encontros entre analista e analisando serão regulares.

Uma questão de grande importância e que surge logo no início do trabalho analítico é a definição de quantas sessões ocorrerão semanalmente. Isso será definido a partir de algumas variáveis: a disponibilidade de horários livres do analista e do analisando, a disponibilidade financeira do analisando e as recomendações do analista. É possível que se realize um trabalho psicanalítico de qualidade com três, duas ou mesmo uma sessão semanal. O mais importante é que o trabalho analítico propicie significativas mudanças no analisando. Dessa forma, o analisando tenderá a ter uma melhor qualidade de vida e caminhará para superar as aflições geradas pela queixa ou pelas queixas que o levaram a ser analisado.

Após ter confirmado que aceitará o paciente para análise, o analista explicará em linhas gerais como funciona o processo analítico. Ele pedirá ao paciente que fale sobre aquilo que lhe vier à mente, inclusive e principalmente qualquer coisa sobre a qual ele sinta vontade de não falar a respeito. A análise daquilo que é dito pelo paciente, especialmente daquilo que o paciente sentir vontade de omitir, constitui propriamente a análise individual de uma pessoa.

A maneira como o analista se comportará durante a análise varia substancialmente entre profissionais devido ao estilo particular de cada um. Este estilo particular é o que determina fundamentalmente seu comportamento durante a análise. A imagem do analista calado durante todo o tempo e a olhar fixamente para a pessoa com um rosto enigmático já se perdeu no tempo. Isso é coisa do passado. Os analistas há muito perderam o receio de estar mais próximos dos pacientes, de ter uma postura entendida como amigável. Ter uma postura amigável não significa que o analista será um *amiguinho* do paciente, alguém que o consolará. Ser amigo significa estar disponível para ouvir todas as suas queixas e todas as suas demandas. Ter uma postura amigável em relação ao paciente significa também que o analista terá uma postura empática para com ele.

É comum que o paciente diga ao analista ao final de uma sessão que achava que nada importante aconteceria naquele dia, pois enquanto vinha para o consultório alarmava-se por não ter a menor ideia a respeito do que falar. Tal ansiedade é fruto do desejo do paciente de que a análise dê frutos, de que a energia, o tempo e o dinheiro que está investindo no trabalho analítico compensem. Embora não seja uma regra geral, é surpreendente a frequência com que pacientes afirmam ter visto muito significado em sessões para as quais não vieram muito entusiasmados ou nas quais não sabiam a princípio o que falar.

O paciente, via de regra, não deverá preocupar-se antecipadamente com o que falará em cada sessão. Isso surgirá naturalmente. Por outro lado, é importante lembrar que o trabalho analítico não é interrompido ao final de cada sessão. Observamos aqui o hábito de se dizer que *se está em análise* ou que *se está fazendo análise.* Trata-se, naturalmente, de um *processo.* É comum também ouvirmos pessoas dizerem: "Eu faço análise". O que podemos interpretar imediatamente destas falas é que, uma vez começado, o processo analítico é ininterrupto e continuará mesmo quando a pessoa não estiver no consultório do seu analista. Isso é absolutamente compreensível se nos lembrarmos de que o objetivo central da análise é fortalecer a pessoa psiquicamente para que possa enfrentar com sucesso as inevitáveis vicissitudes da vida. Uma pessoa analisada utilizará no dia a dia de sua vida aquilo que compreendeu e apreendeu durante o trabalho analítico. Isso nos permite concluir que a análise não se dá unicamente dentro das paredes de um consultório, mas, preferencialmente, extrapolará essas fronteiras, transbordando em direção à vida diária de cada um.

Uma vez iniciada a sua análise, você começará a adquirir novos hábitos a partir de experiências que viverá durante o trabalho analítico. Isso se deve ao fato de que você passará a analisar as coisas e os fatos à sua volta segundo novos prismas, novos parâmetros e novos referenciais. Podemos comparar essa nova realidade à utilização de um novo par de óculos que melhorarão sua visão. Você passará a prestar atenção a coisas nas quais não via muito sentido ou nenhum sentido anteriormente. “Eu nunca tinha pensado nisso!” Aposto que em algum momento de sua análise você dirá esta frase ou uma muito parecida. Esse momento será o símbolo de que alguma mudança começou a se processar em você, pois nunca mais somos os mesmos quando aprendemos alguma coisa. Aproveito para parafrasear o criador da Psicanálise, Sigmund Freud: “Só o conhecimento leva ao poder”. Em termos psicanalíticos, devemos entender esse conhecimento como aquilo que aprendemos a respeito de nós mesmos como consequência do trabalho analítico. Quanto mais nos conhecemos, mais fortalecidos estaremos para enfrentar a muitas vezes árdua trajetória de nossas vidas.

A razão de seu analista solicitar que você fale francamente sobre tudo que lhe vier à mente é porque este foi o método adotado por Freud para poder ter acesso ao inconsciente. O inconsciente, lembramos, é a parte da mente humana sobre a qual não temos acesso direto. Por outro lado, os conteúdos da porção consciente podem ser mais facilmente acessados quando necessário. O conceito de inconsciente já se popularizou tanto que é comum ouvirmos pessoas dizerem que não perceberam o que tinham feito, pois agiram inconscientemente. Isso significa que agiram automaticamente, comandadas por uma parte de suas mentes que não se mostra claramente. Duas formas de conhecermos o conteúdo do inconsciente são os sonhos e os chamados atos falhos.

Os atos falhos são autênticos erros nos quais pensamos conscientemente uma coisa, mas acabamos dizendo outra. Um bom exemplo para essa situação é o caso de um deputado federal que, ao presidir uma sessão da Câmara, disse no momento de abertura da sessão: *"Declaro encerrados os trabalhos"*. Após uma farta gargalhada vinda do plenário, ele corrigiu-se e anunciou que a sessão estava aberta. Este episódio produz uma constatação de que o que nos move é efetiva e principalmente o nosso inconsciente. É por causa disso que psicanalistas costumam dizer que *o ego não é senhor em sua própria casa*. A tradução desta frase em linguagem não técnica é que *nossa mente é comandada principalmente por nosso inconsciente e isso significa que não sabemos com precisão por que fazemos, queremos e sentimos muitas coisas*.

O que aconteceu no caso do deputado nada mais foi do que um ato falho. Houve uma falha entre o que ele conscientemente queria dizer e o que ele efetivamente disse. Ele preparou-se para anunciar a abertura dos trabalhos, mas acabou por anunciar seu encerramento. A razão desse ato falho é simples de ser identificada. O deputado pertencia à base de sustentação do governo na Câmara federal. Naquela dia seria votado um projeto que não correspondia aos desejos do governo. Na realidade, seria muito melhor para o deputado que ele não tivesse sido obrigado a abrir a sessão. O que ele desejava mesmo era não realizar sessão alguma para não ter de votar o projeto que desagradava sua base política. Assim, seu consciente preparou-se para falar algo, mas seu inconsciente *falou mais forte* e ele acabou por dizer aquilo que desejava, mas não podia falar. Falhou o controle consciente que ele queria manter para esconder seu verdadeiro desejo. Por causa dessa *falha* esse fenômeno é chamado de *ato falho*.

Preste atenção ao seu dia a dia e você verá atos falhos acontecerem com frequência. Há pouco tempo, eu cheguei ao consultório muito cansado. Após várias tentativas fracassadas de abrir a porta, descobri que estava utilizando a chave de casa. Isso, naturalmente, significa que o que eu desejava inconscientemente era ir para casa descansar. A propósito, o cansaço costuma propiciar interessantíssimos atos falhos porque ele interfere em nossas defesas psíquicas. Uma amiga passou por uma experiência desse tipo e, devido à reincidência, chegou a pensar que poderia estar sofrendo dos primeiros sinais precoces do mal de Alzheimer. Uma experiente motorista, ela dirigia todos os dias para o trabalho. Quando este fato se sucedeu, ela estava enfrentando uma *autêntica maratona* de atividades, incluindo dar aulas em mais de uma universidade, desenvolver pesquisas complexas e comprometer-se com trabalhos extras, além de cuidar de sua casa e de sua família. Um belo dia ela saiu de casa dirigindo seu carro, parou em um posto de gasolina para abastecer e não conseguiu se lembrar de sua senha de forma alguma, a ponto de seu cartão ser bloqueado após a terceira tentativa incorreta. Pouco tempo depois, estacionou o carro em um local onde precisaria dar marcha a ré para sair. Quando retornou ao carro, não conseguiu encaixar a marcha à ré de forma alguma e, como não houvesse ninguém que pudesse ajudá-la, foi forçada a deixar o carro no local e voltar para casa de táxi. O que aconteceu neste exemplo pode ser interpretado como um inconsciente que *grita* que é hora de parar. O que ela desejava *inconscientemente* era interromper a extenuante maratona que estava enfrentando já há um longo tempo.

Os sonhos são outro caminho para acessarmos o inconsciente. Freud os chamou de *estrada real para o inconsciente*. A razão é simples. Quando sonhamos, as defesas psíquicas que não permitem que conteúdos do inconsciente cheguem à nossa consciência ficam enfraquecidas. Nesses momentos, conteúdos de nosso inconsciente, que nos causariam dor se deles tivéssemos consciência, conseguem manifestar-se de forma simbólica. É por causa disso que os sonhos costumam ser tão fantasiosos, como o exemplo de uma paciente que sonhou que seu pai estava nu da cintura para baixo e que varria a rua sem saída onde ela morava. Ele varria a rua do fim para o início. Após analisarmos o sonho, a paciente concluiu que ele representava o desejo de que, mesmo casada, não fosse tão dependente do pai como ainda era. Tinha sido o pai quem lhe dera de presente a casa onde passou a morar com o marido após o casamento. O fato de ele estar nu da cintura para baixo é um símbolo de que duas figuras foram condensadas em uma só: a parte de cima que estava vestida simbolizava mesmo o seu pai, enquanto a parte de baixo que estava despida simbolizava o marido com quem naturalmente mantinha relações sexuais. A análise desse sonho permitiu que compreendêssemos alguns de seus sentimentos em relação ao seu marido, pois ela os havia ocultado em seu inconsciente para não *ver* que o considerava um fracassado por não conseguir exercer a função de marido provedor do lar.

Outro exemplo também serve para ilustrar como os sonhos transmitem mensagens a respeito de nossos desejos inconscientes que preferimos não confessar nem para nós mesmos. Trata-se de um paciente que sonhava frequentemente com uma viagem a uma cidade do nordeste onde há belas praias. Em seus sonhos, o paciente passava horas ao sol à beira mar comendo com muita vontade sardinhas fritas. Quando narrava esses sonhos em suas sessões, o paciente sempre ficava muito intrigado, porque ele detestava ir à praia, ficar exposto ao sol e tinha horror a peixe frito. Por que esses elementos haviam surgido em seus sonhos e estavam sempre se repetindo? O trabalho analítico demonstrou que o paciente, que era casado, sentia forte atração sexual pela esposa de seu irmão. Sua cunhada era natural de uma cidade do nordeste e seu sobrenome era exatamente o nome do peixe que aparecia insistentemente nos sonhos. Ele jamais havia falado a respeito dessa sua paixão a qualquer pessoa. Como tentou *sufocar o dese-*

jo excluindo-o para fora de sua consciência, os sonhos se encarregaram de realizar no mundo da fantasia onírica o desejo que ele não podia realizar por razões óbvias.

Um terceiro exemplo é o caso do paciente que contou sonhar frequentemente com a seguinte situação: ele chegava todo vestido de preto à capela de um cemitério e lá encontrava seu pai sentado em silêncio e com os olhos fechados. Após algum tempo em análise, o paciente passou a narrar sentimentos de mágoa, rancor e mesmo ódio em relação ao seu pai. Um dia, após ter tido um sonho muito parecido com o que aqui reportamos, concluiu que alimentava o desejo de se livrar do pai e, por causa disso, sonhava que ele estava na capela de um cemitério: *ele gostaria, na verdade, que o pai estivesse morto!*

É a certeza de que o trabalho analítico conduz ao autoconhecimento que nos permite afirmar que ele não é interrompido quando cada uma das sessões chega ao fim em um consultório. Ele continua a ser processado quando o paciente deixa o consultório. Em um dos relatos de pessoas analisadas que você verá adiante há o caso de um rapaz que afirma que conversa com seu analista enquanto dirige seu carro para o trabalho. O detalhe importante é que ele vai para o trabalho sozinho em seu carro. Enquanto dirige, continua a pensar e a elaborar as questões que foram levantadas em seu trabalho analítico! Nesse momento, ele age como se seu analista estivesse efetivamente ao seu lado, o que nos permite concluir que este trabalho analítico produziu e está produzindo resultados eficazes.

Observe que insistimos em utilizar a expressão *trabalho analítico*. Isso não se dá ao acaso. Importante frisar: *se somos regidos por forças inconscientes, nada acontece por acaso*. O processo analítico que é construído e reconstruído dentro do consultório de Psicanálise é um autêntico processo de trabalho árduo, inclusive com os prazeres e dissabores que o trabalho pode nos acarretar. Ele também produz o cansaço natural que todo trabalho pode ocasionar. Ocasionalmente, ele produzirá irritação, desânimo, questionamentos e até mesmo agressividade. Ele não é e não pode ser um mar de rosas, um evento no qual o analista e o analisando se agradam mutuamente, como que se congratulando por serem tão bons ou mesmo ótimos. A análise suscita dor porque descobrimos através dela aquilo que havíamos escondido de nós próprios porque achamos consciente ou inconscientemente que não poderíamos suportar a dor que isso nos causaria. Trazer esses conhecimentos à consciência causará dor ao analisando, mas é através desses conhecimentos que ele adquirirá mais poder sobre si mesmo. Lembremos mais uma vez as intrigantes palavras de Sigmund

Freud: *Só o conhecimento leva ao poder.* Aquele que detém esse conhecimento poderá elaborar um novo modelo de vida, uma nova maneira de portar-se perante as vicissitudes encaradas a cada momento, o que acarretará óbvias modificações em seus sentimentos.

Um exemplo simples pode nos ajudar a compreender melhor o que significa a relação entre conhecimento e poder. Uma paciente procurou análise queixando-se de que seus relacionamentos afetivos sempre terminavam por causa da sensação de "sufocamento" que eles lhe causavam. Estava saindo do quarto casamento e a causa da separação havia sido a mesma das três separações anteriores: estava sendo controlada por demais pelo marido, sentia-se sufocada, seu marido não lhe dava "espaço" dentro do relacionamento, pois ele preocupava-se em ser o centro de todos os acontecimentos que cercavam o casal. Como nas outras três vezes, o sentimento em relação ao marido, que iniciara "forte e quente", foi diminuindo com o tempo e sendo "sufocado" pelo fato de o marido a "marcar em cima" o tempo todo. A coisa havia chegado ao ponto de o marido controlar as roupas que ela vestia, as amigas com quem saía, a cor e o modelo do carro que ela queria comprar. Não aguentando mais viver essa série de repetições frustradas e frustrantes, resolveu procurar um analista por sugestão de uma amiga que estava em análise. Sua primeira sessão foi muito difícil, pois não conseguia falar abertamente sobre a razão de ter buscado análise. No início, procurou culpar todos os ex-maridos, dizendo-se uma perseguida pelo destino, uma azarada, uma incompreendida pelos homens. Afirmou que desejava descobrir na análise por que os homens a tratavam tão mal, por que não conhecia homens mais liberais, menos controladores, que a pudessem fazer feliz, em vez de se sentir como *uma menina controlada pelo pai.*

A última frase chamou a atenção de seu analista e foi dita cerca de seis meses após o início de seu trabalho analítico. Só nesse momento de sua análise a paciente começou a falar clara e francamente sobre sua vida de solteira. Passou a reclamar intensamente de seu pai, falecido anos antes. Reportou que ele fazia de tudo para controlá-la, desde que ela era uma menina. *Ele me fazia sentir sempre uma menina frágil e indefesa que necessitava de proteção e amparo de uma figura masculina o tempo todo.* Sempre controlou os mínimos detalhes de sua vida, inclusive reclamando quando ela passava mais tempo com a mãe do que com ele. O pai, enfim, era um emérito controlador. O analista logo percebeu que o modelo de homens que ela havia introjetado baseava-se fortemente no modelo de seu pai. Na ânsia de livrar-se do controle paterno, mesmo após sua morte, ela inconscientemente buscava homens que tivessem o mesmo tipo de comportamento. A partir do momento em que compreendeu essa realidade, a mulher adotou uma atitude diferente em seus relacionamentos afetivos, evitando homens que tivessem uma postura na linha de seu progenitor e não mais se mostrando como uma mulher frágil e indefesa que necessitava da proteção e do amparo da figura masculina todo o tempo. O conhecimento, enfim, lhe deu poder sobre sua própria vida.

O exemplo anterior mostra claramente o tipo de contribuição que a Psicanálise pode trazer a uma vida. Quanto sofrimento ela pode evitar, quanta amargura pode ser ao menos minimizada e como ela pode melhorar a qualidade de vida das pessoas. Esta mulher certamente passou a ver-se como corresponsável por suas agruras. Passou a não mais culpar acintosamente os homens por todo o sofrimento e dissabores que afirmava que eles sempre haviam lhe causado. Ela passou, enfim, a ser sujeito agente de sua vida, ao invés de viver apenas como sujeito paciente de sua existência. Sujeito agente é aquele que toma e controla as rédeas de uma situação e age em direção a um objetivo, que tem consciência das dificuldades e das agruras que viver acarreta. Sujeito paciente é aquele que é vítima de sua própria existência, não tem as rédeas de sua vida em suas mãos e, por causa disso, vê-se apenas como um desvalido da sorte, um azarado, alguém que tem um carma muito ruim. O sujeito paciente deixa a vida o levar. O sujeito agente escolhe para onde a vida o levará. Naturalmente, a primeira opção é bem mais saudável do que a segunda, uma vez que nos torna senhores de nossas ações. A mulher que citamos, por exemplo, poderia até continuar a escolher homens opressores e dominadores, após sua análise, mas já não poderia mais culpá-los como únicos responsáveis por suas desventuras. Em outras palavras, o *conhecimento* da realidade das coisas de sua vida a levou a ter mais *poder* sobre o seu próprio destino. Ela tornou-se, na realidade, uma mulher consciente de seus desejos inconscientes. Nesse caso, a análise funcionou amplamente, uma vez que elevou o padrão de qualidade de vida da pessoa. Nesse sentido, todo o investimento em tempo, energia e dinheiro foi satisfatoriamente compensado.

Quando saberei que minha análise chegou ao fim? Esta é uma pergunta que muitos analisandos se fazem com frequência. Um bom critério para definir o fim de uma análise é quando analista e analisando *sentem* que é chegada a hora. Uma paciente que estava em análise há alguns anos relatou à sua analista que havia tido um sonho no qual sua analista lhe mostrava uma longa estrada, sobre a qual brilhava um radiante sol, e lhe dizia que estava na hora de ela caminhar. A partir deste sonho, analista e analisanda passaram a considerar a hipótese de a análise ter chegado ao fim. Isso efetivamente se deu algum tempo depois. Há pessoas que preferem continuar sua análise indefinidamente porque querem entender cada vez mais profundamente os diversos aspectos de sua mente. Geralmente, quando analista e analisando começam a trabalhar com a hipótese de que a análise está próxima do fim, já é possível notarem-se significativas mudanças na conduta do analisando. A essa altura, é possível que as pessoas com as quais ele convive também percebam que estão diante de uma nova pessoa.

Psicanálise e depressão

A depressão destrói famílias. Arruína carreiras. Envelhece os pacientes prematuramente. Ataca a memória e a saúde geral. Para nós – para mim – a verdade de que a depressão é uma doença é incondicional. A depressão debilita, é progressiva e violenta em seu curso, um oponente tão difícil e respeitável como qualquer um que o médico pudesse escolher para combate.

Peter Kramer
Psiquiatra americano

A maioria das pessoas que procura o consultório de um psicanalista atualmente tem uma característica em comum: sofre de depressão. O testemunho do psicanalista gaúcho David Zimerman, que possui longa experiência em atendimento psicanalítico e que já escreveu vários livros sobre Psicanálise, atesta este fato:

"O maior contingente de pessoas que procuram tratamento é, fora de dúvida, composto por pessoas que, de alguma forma ou grau de intensidade, sofrem de angústias depressivas. Existem muitas formas de depressão, tanto de natureza endógena (ou seja, de causas genéticas, orgânicas, ligadas ao sistema nervoso) quanto de natureza emocional, desencadeadas por distintos fatores". [6]

A depressão é considerada um transtorno afetivo ou transtorno do humor que causa alterações psíquicas e alterações orgânicas. Ainda não são conhecidas todas as suas causas, mas estudos indicam que a influência genética tem um grande peso e que as experiências durante a infância são um fator que pode influenciar a predisposição para essa doença. O desequilíbrio bioquímico dos neurônios responsáveis pelo controle do humor também exerce papel na eclosão da doença. Por outro lado, o quadro de depressão é altamente variável de paciente para paciente, pois cada um terá uma forma particular de manifestação de suas alterações psíquicas. Este aspecto da doença certamente tem grande influência nas dificuldades para diagnosticá-la.

Usaremos o caso de Alice para ilustrar a importância da ocorrência da depressão no contexto psicanalítico. Alice é uma mulher de cerca de 40 anos e vem mudando bastante seu comportamento habitual nos últimos meses. Ela está isolada de seus amigos, não tem saído para se divertir, parou de procurar um novo emprego desde que foi despedida do último e tem sentido desânimo e tristeza crescentes. Sua família tem insistido em que ela procure um médico, mas ela diz que o que sente é apenas tristeza que logo, logo vai passar. Após muita relutância, Alice foi convencida a consultar um psiquiatra e o diagnóstico foi depressão. Ela tem tomado os medicamentos prescritos pelo médico e tem tido sessões de análise com um psicanalista há algumas semanas. Sua família diz que ela apresenta algumas melhoras, muito leves, mas que já são suficientes para terem esperança de dias melhores.

Casos como o de Alice são muito mais comuns do que se costuma pensar. A depressão muitas vezes é confundida com tristeza e muitos acreditam que seja um problema que pode ser resolvido através de uma boa conversa com um amigo, com uma saída à noite para divertir-se e outras coisas do gênero. Ledo engano. Especialistas costumam chamar a depressão de "doença silenciosa" porque ela com frequência passa despercebida, o que significa que os doentes sequer percebem que estão doentes! Sentem, naturalmente, que há algo errado com eles, mas frequentemente não associam esse "algo errado" a uma doença.

Quem sofre de depressão está muito mais do que tristonho ou pra baixo. Ficar triste é uma situação inerente à vida. Onde há vida há tristeza. Não existe vida sem tristeza porque não há alegria que nunca acabe. A sabedoria popular criou um ditado que explica bem essa situação. "Não há mal que dure para sempre e não há bem que nunca se acabe." Assim diz o ditado. Infelizmente, ele não se aplica à depressão, porque se ela não for tratada poderá significar o fim da vida do paciente, frequentemente através de um suicídio.

Todos nós ficamos tristes. Podemos estar muito tristes, mas não estarmos deprimidos. Na depressão, nossos pensamentos são afetados, nossos sentimentos são afetados, nossa saúde física é prejudicada, temos pensamentos predominantemente negativos e somos acometidos de uma tristeza profunda a maior parte do tempo ou mesmo todo o tempo. Essa tristeza profunda pode ser imotivada. Sua vida pode estar às mil maravilhas para quem olha de fora e você estar se sentindo a pior das pessoas, com sua autoestima aniquilada. Insistimos no ponto de não ser necessário que haja sempre uma causa externa para a depressão. Quando estamos tristes, isso acontece por uma causa que sabemos. A depressão, por sua vez, é chamada por alguns de "tristeza sem motivo". Há pessoas que têm uma bela família, ótima situação financeira, excelentes condições de vida e, mesmo assim, sentem-se profundamente tristes e acham que a vida não vale a pena ser vivida.

A pessoa que sofre de depressão frequentemente sente-se perseguida pelos que estão à sua volta, não vê razão em viver e, por causa disso, a depressão é a principal causa de suicídio. Isso é alarmante se lembrarmos que cerca de um milhão de pessoas se suicidam no mundo todos os anos! Esta informação não é estarrecedora? É por causa disso que devemos, sim, dar ouvidos às pessoas que dizem que vão se matar. É muito mais seguro não acreditarmos no ditado que diz que quem quer se suicidar não manda aviso. Manda, sim, e frequentemente manda muitos. Basta sabermos interpretá-los...

Uma bela ilustração cheia de fortes cores emocionais para a questão do suicídio é o livro *Bipolar – memórias de extremos,* da advogada americana Terri Cheney, e publicado no Brasil pela editora Larousse. Sua leitura é recomendada para quem deseja saber o que sente e sofre alguém que tem depressão e é quase permanentemente perseguido pelo fantasma do suicídio. Logo no início do livro, Terri narra como decidiu viajar para uma cidade próxima à sua para lá dar fim à sua vida. Não informou sua decisão a seus amigos, com receio de que pudessem interferir em seus planos. A explicação simples, clara e objetiva que nos dá para essa decisão é tão sutil que quase tem o poder de nos cortar como uma navalha:

"As pessoas sempre lhe querem bem, mas elas não entendem que, quando você está seriamente deprimido, a concepção do suicídio pode ser a única coisa que o mantém vivo. Basta saber que existe uma saída – mesmo que sangrenta – para tornar a dor quase suportável por mais um dia". [7]

O depoimento não é impressionante? Nada como as palavras de alguém que tenham vivido o problema para ilustrar com cores fortes e reais como a coisa realmente é. Foi justamente por pensar assim que eu optei por utilizar o depoimento de quem enfrentou a depressão, nesse caso uma depressão muito grave, para ilustrar nossa leitura sobre o tema. O caso desta advogada é perfeito também para nos ensinar que pessoas que sofrem terrivelmente de depressão podem estar à nossa volta, convivendo conosco diariamente, sem nos darmos conta disto. Nem sempre a doença é evidente, como já vimos. Pessoas que são consideradas *estranhas* podem estar sofrendo de depressão sem ter coragem ou mesmo forças de pedir ajuda aos que estão ao seu redor. Veja as palavras de Terri sobre como os amigos costumam pensar que a solução para a depressão é algo simples:

"Para ser honesta, nunca me senti confortável com o conceito de 'depressão', por mais articulada que fosse minha defesa daquele conceito perante minha família e meus amigos. E nunca revelei meu diagnóstico para meus colegas de trabalho. Ainda acho que a depressão seria algo que eu deveria ser capaz de manter sob controle. Deus sabe quantos conselhos recebi sobre como fazer isso – corra todos os dias ou evite todos os tipos de açúcar, ou coisas assim. Fazendo isso, você ficará bem. Todo mundo tinha uma receita, receitas triviais". [8]

Gosto muito de uma explicação para a depressão dada por Pedro Gabriel, coordenador da Área Técnica de Saúde Mental, Álcool e Drogas do Ministério da Saúde. Ela é profundamente esclarecedora e resume em grande parte muitas das ideias que queremos transmitir neste capítulo:

"A experiência da depressão é totalmente diferente da experiência da tristeza e da reação triste diante de uma perda concreta. A experiência da depressão é justamente uma reação aparentemente inexplicável de desânimo e de tristeza, de menos valia, de se considerar uma pessoa sem valor, que não é compreensível pelo que se passa à volta dela. Ela está tendo uma reação exagerada de tristeza em relação aos problemas reais que ela tem. Nesse caso é que nós temos o que chamamos de depressão". [9]

Um dos aspectos problemáticos da depressão é que somente cerca de 50% dos casos são corretamente diagnosticados com precisão e apenas cerca de um terço dos casos corretamente diagnosticados tem tratamento adequado. Isso se deve a uma série de razões. O deprimido não costuma reconhecer que está doente ou pensa que um tratamento médico não resolverá seu problema. O estigma que ainda cerca as doenças psiquiátricas é outro grande responsável pelo fato de as pessoas evitarem buscar tratamento. Por outro lado, também há o receio de que um possível tratamento psiquiátrico possa ter efeitos colaterais ou de que seus problemas emocionais não serão corretamente entendidos ou valorizados pelo médico psiquiatra ou pelo psicanalista. Somando-se todas essas razões, fica fácil compreendemos as barreiras que cercam o diagnóstico e o tratamento da depressão.

Principalmente nos casos de depressão leve, o suporte terapêutico pode representar uma grande contribuição para a melhora do quadro de saúde mental do paciente. Por sua vez, é cada vez maior a sintonia entre psiquiatras e psicanalistas no tratamento de pacientes em que haja um quadro de depressão.

A depressão é uma doença e como tal deve ser encarada. Os números que ela apresenta no mundo são absolutamente assustadores. Especialistas estimam que a depressão será a doença mais comum no mundo por volta do ano 2030, superando o câncer e doenças cardiovasculares. No Brasil, o total de pessoas que sofrem deste mal é estimado em 18% da população, o que equivale ao assustador total de cerca de 30 milhões de pessoas!

A crescente preocupação com a depressão no Brasil e em todo o mundo tem feito com que ela seja um tema mais e mais frequente na mídia, notadamente nos jornais. Você já deve ter percebido isso, caso tenha o salutar hábito de ler jornais. A preocupação com a depressão é crescente. Isso é o que vemos em uma manchete do jornal O Globo. "Depressão Global. Em 20 anos, o transtorno será a doença mais comum em todo o mundo." Não é assustadora a manchete? O texto é aberto de forma dramática:

"Em duas décadas, a depressão será a doença prevalente no mundo, superando o câncer e os males cardiovasculares, estimam especialistas que participam em Atenas, na Grécia, da primeira Reunião Global de Saúde Mental, promovida pela Organização Mundial da Saúde". [10]

Tenho certeza de que ninguém ou quase ninguém concordaria se você afirmasse, em uma conversa com amigos, o mesmo que a matéria afirma. Portanto, guarde bem em sua memória o que dizem os especialistas. Haverá mais pessoas doentes por causa da depressão do que por causa do câncer ou doenças do coração em 2030! O artigo do jornal é ilustrado por um depoimento do doutor Shekar Saxena, membro do Departamento de Saúde da Organização Mundial da Saúde (OMS). Ele afirma que "os dados mostram claramente a magnitude do problema e as probabilidades de que ele se torne cada vez maior. Tanto assim que em 2030 a depressão será, entre todos os problemas de saúde, aquele que causará o maior peso ou carga". Quando fala em "carga", o médico se refere, segundo a matéria, "à medida de anos perdidos de vida decorrente de morte prematura ou incapacidade grave causadas por uma determinada doença, que nesse caso é depressão". Ele ainda faz uma afirmação que é simplesmente estarrecedora para aqueles que não acompanham a evolução das doenças no Brasil e no mundo: a depressão já é atualmente muito mais comum do que a Aids e o câncer! Suas palavras sobre esse ângulo da doença merecem um destaque especial para que você possa perceber com maior clareza a gravidade do problema:

"Depressão é uma doença tão real quanto qualquer outro transtorno físico que leva ao sofrimento. É uma epidemia silenciosa porque com frequência passa despercebida. É provável que ela aumente em proporção, enquanto outros problemas diminuem".

O mesmo jornal voltou ao tema da depressão poucos dias depois em outra matéria cujo título é "Depressão eleva o risco de morte por câncer." Esta matéria aborda claramente a relação que existe entre depressão e as possibilidades de que um câncer leve o paciente à morte:

"A depressão afeta seriamente as chances de sobreviver a um câncer, segundo revisão de 26 pesquisas isoladas, envolvendo mais de 9.400 pacientes. Os dados da Universidade British Columbia, publicados na edição *on-line* da revista

Cancer, mostram que a taxa de óbito é 40% maior para os indivíduos com câncer e diagnóstico confirmado de depressão. E este índice chega a 25% naqueles que se dizem deprimidos". [11]

A matéria ainda cita uma especialista que afirma que "há um risco de morte maior nos pacientes que relataram mais sintomas de depressão que os demais". A explicação apresentada é de que "os problemas emocionais interferem na produção de hormônios ou no sistema imunológico e ainda fazem com que os pacientes acabem seguindo um estilo de vida prejudicial ao tratamento".

Devemos frisar a importância do uso de medicamentos para pacientes que sofrem principalmente de depressão que não seja leve ou branda. Esses medicamentos são chamados de psicofármacos e devem ser prescritos por um médico psiquiatra. A farmacologia tem feito grandes progressos com os chamados antidepressivos, cuja eficiência tem aumentado enormemente, propiciando uma grande redução nos efeitos colaterais.

O trabalho do psiquiatra, associado ao trabalho do psicanalista, deve ser o caminho para assistência a esses pacientes. Para entendermos melhor a associação entre psiquiatria e psicanálise, vamos ver novamente as palavras do doutor Zimerman, que compara os tempos atuais da psicanálise à sua prática em um passado bem recente:

"Na atualidade, não vejo a menor razão em fazer a opção ou pelo uso do medicamento, nos casos indicados, ou por alguma forma de terapia de base psicanalítica. Pelo contrário, a orientação contemporânea enfatiza que ambas se complementam, de modo que muitas vezes a medicação pode dar resultados, porém o índice de reincidência é alto, porque as fragilidades emocionais que facilitam o surgimento da depressão endógena continuam sendo as mesmas. Em contrapartida, um tratamento analítico fortifica o ego, porém de forma alguma deve necessariamente prescindir de contar com a colaboração do que nos ensinam as modernas pesquisas das neurociências, com um acompanhamento medicamentoso que age diretamente no sistema neuro-hormonal, com o suprimento de serotoninas etc". [12]

A análise investigará a causa ou as causas que propiciaram o ambiente favorável a que uma depressão se desenvolvesse. Existe uma forte relação entre o surgimento da depressão e acontecimentos adversos na vida de um indivíduo, tais como a perda de um ente querido ou a perda de um emprego. A análise investigará, então, por que esse sujeito está predisposto a reagir a essas perdas mergulhando em um estado depressivo. Essa investigação englobará preferencialmente os seus primeiros anos de vida, pois a Psicanálise defende o ponto de vida de que os acontecimentos nessa fase são determinantes para a vida psíquica de uma pessoa. O entendimento das causas da predisposição à depressão fortalecerá psiquicamente o sujeito que está em análise. Este fortalecimento psíquico permitirá que ele enfrente em melhores condições as adversidades pelas quais todos nós passamos ao longo de nossas vidas. Ao invés de reagir aos seus problemas adoecendo depressivamente, o ideal é que esse mesmo sujeito enfrente essas adversidades levando sua vida em frente, embora triste e abalado. Onde a depressão *congelou* uma vida, a análise poderá permitir que essa vida siga em frente.

Pacientes contam suas experiências

Uma pessoa se torna neurótica porque não pode tolerar a frustração que a sociedade lhe impõe, a serviço de seus ideais culturais, inferindo-se disso que a abolição ou redução dessas exigências resultaria num retorno a possibilidades de felicidade.

Sigmund Freud

O analista mais instiga do que resolve. Ele me impulsiona a pensar.

Paulo. Um paciente de Psicanálise

Quando pensei pela primeira vez em escrever este livro, uma das primeiras ideias que me vieram à mente foi conversar com pessoas que tivessem sido ou estivessem sendo analisadas para que elas pudessem narrar suas experiências com a análise. Creio que, nessa hora, minha experiência com jornalismo falou mais alto, pois mais tarde percebi que a intenção inconsciente tinha sido a de permitir que os leitores tivessem acesso a um aspecto fundamental da análise: a fala das pessoas que são analisadas. Imediatamente, percebi que se as pessoas pudessem narrar suas próprias experiências de forma clara, direta e sem rodeios ou subterfúgios, elas iriam provavelmente gerar excelente material para ilustrar o que a Psicanálise pode fazer por uma pessoa.

As pessoas que narrarão suas experiências em análise foram escolhidas aleatoriamente. Não houve um critério preestabelecido. O interessante é que nenhuma delas foi minha paciente. Talvez eu tenha inconscientemente desejado explorar novos mundos, novos universos, pois cada pessoa que analisamos significa que realmente analisamos um novo mundo, exatamente como se estivéssemos explorando diferentes planetas do Universo: novas descobertas a cada passo!

Os casos das cinco pessoas foram chegando aos poucos. Quatro delas foram entrevistadas por mim. Para marcar claramente esse fato, eu preferi preservar nas transcrições o clássico estilo jornalístico e até muito didático de perguntas e respostas. Um único caso não foi entrevistado por mim. Ele me chegou através de uma colega psicanalista que, em um grupo de estudos de casos psicanalíticos, havia há algum tempo comentado comigo estar tratando de um caso muito interessante. A inclusão dos cinco casos neste livro foi devidamente autorizada por cada uma das cinco pessoas cujas densas experiências analíticas você terá a oportunidade de conhecer em seus muitos detalhes. As quatro pessoas entrevistadas por mim gentilmente concordaram em ler a transcrição de suas entrevistas e até mesmo fizeram sugestões quanto à estrutura do texto e inclusão ou exclusão de determinadas expressões, sempre com o intuito de tornar o texto bem fidedigno às suas experiências. O paciente de minha amiga psicanalista deu a autorização diretamente a ela, que revisou o texto para atestar a fidedignidade da narrativa.

A todas estas cinco pessoas foi dada a garantia do mais absoluto anonimato. Por causa disso, fizemos algumas adaptações nas transcrições dos depoimentos, a fim de evitar a inclusão de nomes de lugares e de pessoas, de datas, bem como de quaisquer outras informações que possam, mesmo que não com absoluta segurança, permitir que elas sejam identificadas.

Quero reforçar o ato de coragem dessas pessoas, além, é claro, da total confiança que depositaram em mim. Entrevistá-las foi uma experiência rica e muito recompensadora. Foi necessário muito controle de minha parte para que muitos momentos dessas entrevistas não se transformassem naquilo que acontece quando um psicanalista e um analisando se encontram em um consultório de Psicanálise. Isso espelha o nível de profundidade que os depoimentos atingiram. Uma delas, após ler o depoimento que havia dado, comentou comigo que é muito engraçado ler aquilo que você mesmo disse. Eu concordei e agora penso que isso se dá principalmente quando se trata de uma narrativa que envolva fatos e pessoas que compartilham ou compartilharam momentos de forte relevo emocional em sua vida. Devo dizer que sinto a mesma coisa toda vez que estou revisando aquilo que escrevo. Uma outra pessoa entrevistada me procurou dias após a entrevista e me contou que ficou impressionada com a maneira como se "abriu" comigo. São coisas que a Psicanálise propicia que aconteçam...

Procurei interferir o mínimo possível na transcrição dos depoimentos, preservando ao máximo as falas originais. Lembremo-nos de que a Psicanálise depende direta e essencialmente das palavras, das falas das pessoas analisadas. Por causa disso, julguei que quanto mais eu conseguisse preservar as falas originais, maior seria o sentido psicanalítico real que elas poderiam transmitir. Algumas passagens ficaram um pouco vagas ou mesmo repetitivas. Outras, por sua vez, têm expressões e palavras de baixo calão, palavras chulas, palavrões que podem soar de formar agressiva e mesmo ofensiva quando lidos. Preservá-las foi uma escolha crucial para nos mantermos fiéis ao nosso objetivo de resguardar a autenticidade dos discursos dos entrevistados. Por outro lado, é importante observarmos que a ocorrência de discursos desse tipo reflete fielmente o que acontece o tempo todo em uma sessão de análise.

Na narrativa de suas experiências analíticas, alguns dos entrevistados utilizam expressões típicas da área psicanalítica. Entendo que a explicação dessas expressões colaborará para que o leitor tenha melhor compreensão desse material. Optei, como já foi dito, por apresentar definições fornecidas pelo *Novo Dicionário Aurélio*, a obra clássica de Aurélio Buarque de Holanda Ferreira. A intenção é apresentar significações claras e sem a linguagem geralmente rebuscada e muitas vezes quase hermética que os manuais e dicionários de termos psicanalíticos costumam apresentar.

A narrativa das experiências analíticas do Senhor N. é pontuada por expressões como *masoquismo, sadismo, sadomasoquismo, fetiche, fetichismo* e *fantasias*. Acreditamos que é importante apresentar breves explicações sobre esses termos, a fim de tornar mais rica e profunda a possibilidade de entendimento das falas deste paciente.

O vocábulo *masoquismo* expressa uma "perversão sexual em que a pessoa só tem prazer ao ser maltratada física ou moralmente". O termo foi criado pelo psiquiatra alemão Kraft Ebbing baseando-se no romance *A vênus castigadora*, de autoria do escritor austríaco Chevalier Leopold von Sacher-Masoch. O romance trouxe repercussão mundial para o fenômeno do masoquismo em 1870. Como vemos, a origem do termo está no sobrenome do escritor.

Em sentido geral, o *masoquismo* tem um sentido oposto ao *sadismo*, que é uma “perversão sexual em que a satisfação erótica advém da prática de atos de violência ou crueldade física ou moral infligidos ao parceiro sexual”. A origem do termo está no nome de Donatien Alphonse François de Sade, escritor francês, conhecido como Marquês de Sade, cujos romances e peças teatrais descrevem orgias sexuais. Por causa de práticas de perversão, Sade ficou mais de duas décadas em uma prisão e foi posteriormente internado em um sanatório.

O termo *sadomasoquismo* é construído a partir do *sadismo* e do *masoquismo* presentes na mesma prática sexual. No ato sexual desse tipo, o *sadomasoquista* se alternará no papel daquele que inflige dor ao parceiro e no papel daquele que é maltratado física e psicologicamente. Os praticantes do *sadomasoquismo* chamam de *escravas* as pessoas que, exercendo o papel passivo, sofrem dor física e psicológica, incluindo-se humilhações infligidas por seus parceiros.

Por último, a palavra *fetiche* é derivada do vocábulo português *feitiço*, que, por sua vez, provém do termo em língua latina *facticius* (artificial ou fictício). O *fetiche* é um objeto ao qual se atribuem poderes mágicos ou sobrenaturais. Originalmente, o termo era usado para se referir aos objetos empregados nos cultos religiosos africanos. Um fetiche muito comum é a atração que muitos homens sentem pelos pés, sapatos e roupas íntimas femininas.

PRIMEIRO CASO

Se eu não tivesse passado pela experiência da análise, acho que eu seria hoje menos resolvida, não seria esta pessoa mais alegre que sou hoje. Eu me tornei uma pessoa melhor. Eu compreendo melhor o mundo, o outro, o olhar do outro, embora seja diferente do meu. A análise me fez ver isto.

Eu acho que análise é isso. A sua essência continua a mesma. Os problemas continuam, mas você aprende a lidar melhor com eles.

A análise me fez ver qual é o meu objetivo de vida. Ela me fez ver o que me faz feliz e isso não é necessariamente aquilo que a sociedade acha. Eu insistia em coisas que não eram boas para mim. A análise me ajudou a entender isso.

Daisy, 54 anos

Daisy decidiu fazer análise logo após a separação de seu marido. Afirma que buscou se "calçar para o período de separação". Temia estar sozinha novamente. Seu pai sempre foi o seu modelo de homem e ela levou este modelo para seu casamento. Isso, naturalmente, trouxe-lhe dificuldades. Passou por dois períodos de análise. O primeiro durou dois anos e meio e o segundo, três anos. Não estava em análise quando foi entrevistada. Para ela, a contribuição que a análise deu à sua vida foi o fato de instrumentá-la para lidar melhor com os problemas.

Seu depoimento foi dado em meio a uma torrente de palavras, risos e sorrisos que se intercalavam quase infindavelmente. Vamos dar voz à própria Daisy para que ela nos conte sua experiência psicanalítica.

Por que você decidiu fazer análise?

Minha primeira experiência com a Psicanálise foi lá pelos idos dos anos 1980. Eu tinha me separado do meu marido e achei que era o momento de um recomeço. Achei que a análise ia me calçar melhor para dar início a uma nova fase da minha vida. Eu tinha casado com um cara que era igualzinho ao meu pai. Então eu falei para mim mesma: “Eu já resolvi isso. Não faço mais essa repetição”.

Alguém recomendou a Psicanálise para você?

Eu havia lido a respeito, mas tinha muito pouco conhecimento. Na verdade, a ideia de fazer análise surgiu com mais força após minha separação porque eu já tinha pensado a respeito no momento da separação dos meus pais. Eu já tinha saído da adolescência e fiquei muito triste. Meu pai era meu super-herói e foi bem difícil.

A vontade de fazer análise surgiu em momentos difíceis da sua vida?

É isso mesmo. Quando eu me dei conta de que eu poderia pagar a minha própria análise, eu decidi fazer.

Como você chegou ao analista?

Através da indicação de um analista que era ligado à universidade onde eu estudei. Antes da análise, eu havia feito *bioenergética*. Era moda, era vanguarda nos anos 1980. Esta experiência me tirou uma série de problemas. Eliminou até uma prisão de ventre crônica (risos), pois mexia com o corpo todo. Eu adorei. Depois eu disse: "Chega, vou fazer uma análise de verdade". Então eu decidi fazer uma análise de verdade, mas não uma ortodoxa. Meu analista fazia uma análise mais eclética.

Você sabia, antes de fazer análise, o que significa análise ortodoxa?

Sabia porque eu tinha lido um pouco sobre análise. O meu analista não fazia a linha tradicional ou ortodoxa, daquele tipo em que o analista fica calado quase o tempo todo, com mínima interferência.

Como eram as sessões?

Às vezes eu deitava no divã. Às vezes, não. Eu falava tudo que me vinha à mente, conversava com o analista sobre a minha família, meus traumas, minhas fobias. Ele me ajudou muito nesses anos todos. Minha autoestima ficou muito mais forte após a primeira experiência com a Psicanálise. Esta primeira análise durou dois anos e meio.

Quantas vezes por semana você tinha sessões?

Duas vezes basicamente. Chegava a três, mas depois voltava para duas. Houve uma interrupção e eu retomei a análise com o mesmo analista dois anos depois. Esta segunda análise durou cerca de três anos.

Você se lembra de como foi a sua primeira sessão?

Eu não tive dificuldades na primeira sessão. Eu me senti à vontade. Sabe aquela pessoa que você olha e gosta? A primeira coisa que eu pensei foi em trabalhar algumas *fobias* (medos). No primeiro dia, no início eu fiquei olhando para uma estante cheia de livros que tinha no consultório. Às vezes eu deitava no divã, olhava para o teto e conversava. Eu gostei da abordagem do analista, da maneira dele. Ele não era uma coisa vazia. Ele não ficava calado o tempo todo. Eu tenho um lado racional muito forte e creio que este lado intelectual atrapalhou um pouco a análise.

Por quê?

Porque às vezes você racionaliza a história de tal maneira que quando vai contar você já conta a partir de uma teoria sua. Nesses momentos, ele me cutucava e aí melhorava. A pergunta era: por que eu procurei para marido um cara como meu pai, por exemplo. O meu pai era uma pessoa linda, mas completamente infantil e irresponsável com dinheiro. Teve altos e baixos financeiros e sempre viveu acima de sua possibilidade de ganhos. Meu pai é uma boa pessoa, mas foi muito mimado como único filho homem e, assim, sempre foi o "garoto levado" da família. A análise consolidou o que eu já pensava: eu tinha escolhido um marido parecido com o meu pai: lindo, boa gente, sedutor, mas muito irresponsável. Se eu tivesse de definir meu pai e minha mãe, eles seriam, respectivamente, o "feijão" e o "sonho". O "feijão" seria mamãe, que começou como professora e chegou a altas posições no governo do estado. Mamãe era muito prática, linda e bem cuidada, com um lado racional muito forte. O oposto seria o "sonho": meu pai, um sedutor, mais emocional, vivendo sua trajetória aventureira.

As fobias que você mencionou causavam grandes problemas em sua vida? Elas te limitavam de alguma forma?

Acho que sim. Por um tempo, por exemplo, eu não conseguia passar de carro dentro de um túnel. Eu sentia falta de ar. Eu não podia dirigir dentro de um túnel. Eu dava a maior volta para não entrar em um túnel.

Você tinha claustrofobia (medo de lugares fechados)?

Ainda tenho. Tenho medo de elevador fechado. Tenho sonhos recorrentes com elevadores indo pro céu e não parando nunca. Sonhos repetitivos. Angústias. A outra coisa é que eu estava me separando. Eu tinha tomado a decisão de me separar. Foi difícil porque eu ainda gostava demais do meu marido. Eu tinha que me separar porque o relacionamento estava muito difícil.

O que você achava que a análise te daria?

Uma saída melhor. Uma saída mais calçada para uma nova etapa. Eu sentia que seria difícil estar sozinha de novo.

Então você procurava uma espécie de fortalecimento?

Eu acho que análise é isso. A sua essência continua a mesma. A alta definitiva para mim parece uma utopia. Não acho que exista uma alta. Quem pode te dar alta definitiva? Acho que só Deus.

Então você sente que, após a análise, os problemas continuam, mas...

... Mas você aprende a lidar melhor com eles. Você aprende a fazer melhor as coisas.

Como foi o prosseguimento da análise?

Nos momentos de crise, eu passava para três sessões. Um desses momentos foi quando eu perdi meu avô. Eu tive duas figuras masculinas muito fortes: meu pai e meu avô.

O que é a análise para você?

Eu acho que tudo é análise. Filme é análise, o dia a dia é análise. Você vai achar que eu sou maluca. Tudo para mim é análise se você for uma pessoa interessada na vida. Na análise você volta lá na sua infância, vê seus traumas, a separação dos seus pais, a ligação com sua mãe, a ligação com seu pai. A análise faz o tempo voltar e aí acontece o tratamento.

As sessões foram de alguma forma dolorosas?

Foram dolorosas, sim, em alguns sentidos. Ele às vezes me via em certas situações e perguntava por que eu estava assim, por que eu não sabia sair daquelas situações. Eu tive namoros equivocados. Ele me via mergulhar em situações em que eu já não podia mergulhar mais, situações amorosas. Namorados errados, que não me faziam bem. Não era sempre que eu ficava alegre nas sessões. Havia momentos dolorosos. Havia momentos que dava raiva do analista.

De quais bons momentos você se lembra?

Comparações que nós fazíamos, ou melhor, que eu fazia. Ele, de certa forma, validava. Eu falava muito com ele que existem basicamente dois tipos de pessoas em sua vida. Existe a pessoa que te puxa para cima e existe a pessoa que te puxa para baixo. Uma pessoa pode ser uma coisa em um momento e outra coisa em outros momentos. Você precisa distinguir o que vai te fazer bem ou não. A análise me ajudou.

Como?

(*Longo silêncio*) Como? Eu acho que é não ligando muito. Eu sou uma pessoa totalmente atípica. Não sou certinha. Não valorizo muito o que a sociedade valoriza, como um carrão, um telefone celular caro. Valorizo muito mais a felicidade. A análise me fez ver qual é o meu objetivo de vida. Ela me fez ver o que me faz feliz e isso não é necessariamente aquilo que a sociedade acha.

Houve momentos durante a análise em que você pensava "o que é que eu estou fazendo aqui?"

Houve, sim. Tinha dias em que eu pensava que não tinha nada para falar. "O que eu vou falar hoje lá?" No geral, era muito proveitoso. Eu tive uma experiência horrível com um outro analista. Foi logo após a interrupção de minha primeira análise. Eu fui fazer análise com um outro analista. Foi péssimo. Só me fez mal. Era uma análise em grupo. Foi uma merda! Eu pensava: "Porra! O que eu estou fazendo aqui?". Era um analista muito conceituado no meio. Eu detestei e voltei para meu primeiro analista.

Por que você decidiu voltar para a análise depois de alguns anos?

Eu queria retomar a análise de onde eu havia parado. Algumas coisas aconteceram após a interrupção. Houve um quase segundo casamento. Eu estava em um momento confuso, mudando de um trabalho para o outro. Eu estava com muita angústia por causa das mudanças. Eu acabei decidindo não casar de novo.

Por que você interrompeu a primeira análise?

Eu viajei e voltei um pouco sem grana. Foi muito bom quando eu voltei para o meu primeiro analista. Foi um tempo bom. A segunda fase foi melhor do que a primeira. Eu trazia mais material para ele analisar.

Quando você saía de casa e ia para o analista, você se sentia na obrigação de sempre levar alguma coisa para contar?

Não. Eu não sentia, não. Eu ia às vezes pensando pelo meio do caminho o que eu ia conversar com ele, mas as coisas mudavam quando eu chegava lá. Ele me ajudou nessa segunda etapa a resolver fobias graves, como falta de ar. Isso sumiu. Eu me lembrei como isso tinha surgido. Eu voltei lá no passado. Eu entendi o problema com o túnel, por exemplo. Eu me lembrei de um dia em que estava dirigindo o meu carro com uma amiga e também havia um outro colega no carro. Esse meu colega da faculdade tinha tido um problema de coração na época e tinha feito uma cirurgia. O meu carro quebrou em pleno túnel. Graças a Deus deu tudo certo. Conseguimos sair com o carro aos poucos e tudo ficou bem, mas de qualquer forma essa foi a origem da fobia. Quando eu entendi isso, tudo acabou.

As duas fases de análise com o mesmo analista foram muito diferentes?

Totalmente. A primeira fase foi da razão. A segunda fase foi em um outro momento de minha vida. Eu estava com uma pessoa que não me fazia feliz e eu vi isso na análise. A análise me ajudou a entender isso. Eu insistia em coisas que não eram boas para mim.

Você acredita que as pessoas procuram a Psicanálise principalmente por causa de questões amorosas?

Não só por questões amorosas. Questões existenciais, de vida. Família. Questões profissionais. Tudo é discutido na análise. A análise te calça melhor para refletir. É preciso compreender, analisar e refletir.

Você teve o apoio de sua família para fazer análise?

Não. Minha família não dá muito valor para a análise. Meu irmão, por exemplo, poderia se beneficiar muito com a análise, mas ele nem pensa a respeito. Ele é muito prático.

Você associa de alguma forma análise e felicidade?

Não. Eu associo a análise à procura da felicidade ou à procura de alguma coisa. Eu encontrei o que eu estava procurando, mas talvez eu volte. A vida não para. Em cada momento de minha vida, a análise pode trazer uma colaboração nova. Eu tenho amigos que fazem análise há anos. Eu estou em uma fase mais tranquila de minha vida hoje, mas planejo encarar outros trabalhos.

Os seus amigos que nunca fizeram análise te perguntam se devem ou não fazer análise?

Sim. Eu digo para eles que análise é fundamental para algumas pessoas. Eu faria hoje toda a análise que eu fiz em minha vida, menos com o analista ruim. Para uma pessoa que esteja em dúvida se deve ou não fazer análise, eu digo que ela vai descobrir coisas mais profundas da sua vida. Você vai descobrir coisas relativas à sua família. Para mim, foi fundamental saber essas coisas. Se eu não tivesse passado por essa experiência, eu acho que eu seria hoje menos resolvida, não seria esta pessoa mais alegre que eu sou hoje. Eu me tornei uma pessoa melhor. Eu compreendo melhor o mundo, o outro, o olhar do outro, embora seja diferente do meu. A análise me fez ver isso.

SEGUNDO CASO

A Psicanálise foi importante para me mostrar que em determinados momentos é possível mudar as coisas, por mais difíceis que elas sejam, por mais complicadas e doídas e o que quer que seja. É possível você olhar o problema, entender o problema.

Eu acho que o psicanalista é fundamental porque tem determinados momentos em que a gente, por diversos motivos, não consegue desfazer algum nó. Eu acho que nisso a Psicanálise ajuda muito. Ela ajuda a puxar a corda, entendeu? Uma vez puxada, está bom. Eu me viro.

Na análise eu aprendi a reconhecer as questões e a conviver com elas. Você não muda, não.

Rosângela, 44 anos

Rosângela viveu uma situação bastante traumática quando seu pai se separou de sua mãe. A cena, vivida na frente das filhas, ficou gravada em sua memória. Em sua adolescência, teve problemas em seus namoros porque se separava dos namorados subitamente, mesmo daqueles que amava e tivesse certeza disso. Separou-se de um rapaz quando sua família já preparava o enxoval para o seu casamento. Essas separações geraram muita dor e sofrimento.

Utilizou a análise aparentemente de uma forma bastante pragmática. Iniciava o trabalho com um analista e logo o interrompia. Teve mais de dez períodos de passagens por tratamentos terapêuticos, incluindo outras terapias além da Psicanálise. Afirma que utilizou a Psicanálise como um *self-service*, servindo-se daquilo que lhe interessava e quando lhe interessava.

Foi por meio da análise que percebeu ser uma mulher "masculina" que havia procurado homens mais fracos durante toda a sua trajetória de vida. "Eram homens femininos", segundo suas próprias palavras. O trabalho analítico a ajudou a entender que isso acontecia porque ela fugia do modelo masculino que havia associado ao seu pai. Esse modelo era entendido como o modelo do "homem que trai, o homem que sacaneia, o homem que abandona", ela diz.

Rosângela fala de forma quase ininterrupta. Raros foram os momentos de seu depoimento em que interrompeu sua fala para pensar ou para pesar suas palavras antes de proferi-las. Muitas vezes interrompeu uma frase no meio e já emendou em outra nem sempre com o mesmo sentido ou a mesma ideia. Suas ideias parecem fluir sem cessar e tem-se a nítida impressão de que seus pensamentos são muito mais velozes do que sua capacidade de expressá-los verbalmente. Assim, entre o pensar e o falar parece existir um tempo longo demais e as intenções muitas vezes mudam antes que os raciocínios sejam completados ou verbalmente expressos. Seu riso e seu sorriso oscilam entre os claramente espontâneos do humor ou da alegria do momento e aqueles que expressam as fortes e tensas emoções que compõem a história de sua vida.

Passemos à densa e rica experiência de ouvi-la narrar sua experiência psicanalítica.

Por que você decidiu fazer análise?

Eu tive problemas em meus relacionamentos e sabia que havia alguma coisa errada. Mais tarde eu entendi que isso estava ligado a um fato que aconteceu em minha vida e que me marcou muito. Meu pai chegou um dia de viagem, encheu a mala que já estava meio cheia e foi embora. Eu tinha 15 anos. Este fato foi recorrente nas vezes em que eu fui procurar um psicanalista depois. Eu era de uma família muito pobre e que virou classe média quando eu tinha uns 9 anos.

Quais eram os valores de sua família?

Casamento é para sempre, os homens são a oitava maravilha do mundo e nós devemos servi-los. Esta foi a minha criação. Quando meu pai foi embora, eu estava começando a ter os meus primeiros relacionamentos.

Como eram os seus relacionamentos?

Eu tive vários namorados na adolescência. Eu fui supernamoradeira. Todos os namoros duraram muito pouco. Eu só fui me dar conta disso aos 19 ou 20 anos. Eu me relacionava, ia tudo bem, mas em um dado momento eu acho que alguma coisa acionava em mim – não sei bem explicar, quer dizer, na época eu não sabia explicar o porquê – e eu saía da relação. Eu sempre saía sofrendo muito. Eu fui uma adolescente chorona, doída. Depois de grande, já com 19 para 20 anos, quando eu já estava namorando o pai das minhas filhas, eu fui parar em um psicanalista pela primeira vez. Aconteceu a mesma coisa de sempre, só que eu nunca havia me dado conta porque quando você é jovem troca de namorado, você considera normal trocar de namorado, apaixonar-se e desapaixonar-se. Em uma dada hora, eu fiz a mesma coisa de sempre: saí correndo, mesmo estando apaixonada. Eu estava vindo de uma relação de dois anos e a minha avó tinha até preparado o enxoval! Eu troquei um pelo outro de uma hora para outra. Eu conheci o outro e deu um clique: conheci, troquei e acabou. Deste o pai da minha filha, eu me separei e disse que não queria mais, mas eu saí muito mal e aí fui parar em um psicanalista pela primeira vez na minha vida. Durou nove meses. Um parto (*risos*). Eu me dei alta porque chegou um momento em que eu disse: "Tá bom. Já entendi". Aí eu voltei para ele, o pai das minhas filhas, me casei com ele e ficamos quinze anos casados.

Como foi a experiência na análise?

Você reconstrói sua história. Você vê de onde veio isso, de onde veio aquilo. Eu tive uma criação até determinado momento em que se dizia: "Homem é lindo". De uma hora para outra, homem passou a ser um horror. A mensagem era a seguinte: "Isso é da vida. Você vai ter de se relacionar, porém não dependa, não confie, não se entregue". Minha mãe dizia isso após a separação do meu pai. Minha mãe foi uma pessoa que viveu para o marido acreditando nisso tudo, dentro dos preceitos em que ela me educou e quando ela tomou um pé na bunda ficou mal, ficou muito mal. Pra você ter uma ideia, eu estou com 44 anos e ela até hoje não fala com meu pai. Quando ela fala dele, você percebe muito amainado um sentimento de raiva. Ela já está casada de novo há vinte anos. A sensação que eu tenho é de que você fica confusa em uma situação como esta porque recebe duas diretrizes contrárias. É pra gostar ou é pra não gostar? É pra entregar ou não é pra entregar? É pra servir ou não é pra servir? Vieram duas diretrizes da mesma fonte. Primeiro foi "Ame!" Depois foi "Odeie!" Minha mãe nunca falou diretamente porque ela casou de novo, mas a mensagem sempre era: "Não pode confiar. Você tem que ganhar seu dinheiro. Você não pode depender de homem. Não deixe nunca ele te sustentar porque ele vai cobrar isso depois". Eu percebo isso tudo nas minhas características hoje. Absolutamente tudo. Eu posso casar com um homem rico que ele não paga as minhas contas (*risos*). Em nenhuma hipótese.

Que mudanças a análise lhe propiciou?

Eu aprendi a reconhecer as questões e a conviver com elas. Você não muda, não. Eu já tive mais de dez passagens pela Psicanálise. A primeira foi com um psicanalista e foi mais regular. Depois, por um tempo, eu me analisei com uma psicanalista. Fui a várias consultas. Não havia muita regularidade. Eu acho que a única vez em que eu fiquei certinho no analista foi durante a primeira experiência que durou nove meses. Depois da mulher veio um homem, com quem há dois anos eu fiz umas cinco ou seis sessões. Eu tenho uma certa implicância com essa terceirização dos problemas. Talvez por isso eu não fique no psicanalista tanto tempo. Eu acho que o problema é meu e quem tem de resolver isso sou eu. Eu acho que, se a gente começa a ver no psicanalista alguém por qucm seus problemas têm de passar necessariamente, você acaba perdendo um pouco de autonomia. Eu conheço muita gente que está no psicanalista há dez anos. Alguns resolveram suas questões. Outros não, mas estão sempre achando que para resolver suas questões alguém tem de intermediar. Eu não gosto muito dessa ideia, mas eu acho que o psicanalista é fundamental porque tem determinados momentos em que a gente, por motivos diversos, não consegue desfazer algum nó. Eu acho que nisso a Psicanálise ajuda muito. Ela ajuda a puxar a corda, entendeu? Uma vez puxada, está bom. Eu me viro.

Como foi sua primeira experiência com Psicanálise?

Foi horrível (*risos*). Eu tinha em torno de 18 ou 19 anos. Eu era muito menina. Não tinha maturidade para sentar lá e lidar com o problema. Eu sabia que eu tinha um problema. Não sabia por onde começar. Eu era completamente entalada com aquilo porque era um negócio difícil para eu lidar, muito difícil. Não é simples sentar e falar dos seus próprios problemas! Eu fui recomendada para esse psicanalista. Eu cheguei lá e expliquei por que eu fui. Eu contei que gostava de uma pessoa, havia me separado e tinha um histórico recorrente. Eu não me lembro de detalhes, mas me lembro de uma vez que eu entrei lá e não consegui falar durante os 45 minutos. Nem eu e nem o psicanalista. Eu não consegui nem chorar porque o analista não falava nada e eu não conseguia falar nada. Ele ficou sentado atrás de mim. Ele sempre ficava sentado atrás de mim. Às vezes eu não aguentava aquilo e sentava de frente para ele. Falar com um interlocutor atrás é muito estranho. Nesse dia eu fiquei muda, completamente angustiada. Quando eu saí de lá, tive uma crise compulsiva de choro, fui chorando pelo meio da rua. Eu andei aos prantos durante um tempão. Hoje eu acho que ele poderia ter sido um pouquinho mais generoso.

Você hoje acredita que o estilo desse seu primeiro analista foi ruim para você?

Depois disto eu conheci outros analistas mais acolhedores. Até agora, foram três psicanalistas. Tive outras experiências com outros profissionais que mesclavam Psicanálise com outras técnicas. Tive muitas outras experiências que eram terapêuticas, mas que não eram Psicanálise.

Nessas outras experiências você buscava a mesma coisa?

Eu acho que não. Eu acho que a experiência que eu tive com os três psicanalistas – essas três experiências que foram só falação – teve um sentido bem claro. "Não consigo resolver esse negócio. Vamos lá. Me ajuda aqui." As outras tiveram uma coisa mais de buscar o equilíbrio. Eu fui uma adolescente, uma jovem e ainda acho que sou uma adulta um pouquinho angustiada (*risos*). Eu acho que tem gente que consegue se adequar melhor às regras. Eu conheço um monte de gente completamente adequada. Está dura e está feliz. Está com dinheiro e está feliz. Está com um marido que trai e está feliz. Eu acho que eu sou inquieta. Eu sou muito inquieta.

Para que serviu sua primeira análise?

Eu acho que a primeira análise serviu para me ajudar a resolver o problema que eu tinha e eu acho que se eu não... (*não completa a frase*). Eu não sei. Olhando hoje aqui nos meus 44 anos... Às vezes eu fico vendo coisas que eu tenho, características da minha personalidade que são muito difíceis de serem mudadas, embora eu tenha consciência de que talvez pudesse fazer alguma coisa. Elas são tão atávicas, já estão comigo há tantos anos que a reação imediata primeira é sempre da maneira que é recorrente. Nesse aspecto eu acho que a Psicanálise, naquela primeira experiência, foi importante para me mostrar que em determinados momentos é possível você mudar as coisas por mais difíceis que elas sejam, por mais complicadas e doídas e o que quer que seja. É possível você olhar o problema, entender o problema. Eu acho que você não resolve o problema. Sinceramente. Eu acho que a Psicanálise te ensina a conviver. Eu nunca tive nenhum problema resolvido em análise. Nenhum.

Ensinar a conviver não seria uma solução?

É. Pode ser. Sim. Por esse aspecto, sim. Eu estou dizendo que o problema não passa. Você continua com o problema, só que agora você sabe que tem o problema e pode se ajudar a partir dessa consciência.

Mais fortalecida para lidar com o problema?

Não sei se mais fortalecida. Eu acho que com consciência. Eu acho que às vezes a consciência nem aparece na hora. Aparece depois, mas você consegue ao menos olhar para trás e dizer: "Porra! Fiz merda. Errei". Quer ver uma coisa interessante em minha história? Eu acho que por causa do pai que eu tive, da maneira que as coisas aconteceram, a separação dos meus pais foi bem traumática. Meu pai é uma pessoa muito apegada a dinheiro. Muito. Eu dou graças a Deus porque ele nos tirou de um lugar muito pobre. Ele conseguiu o que queria, mas houve um custo. Meu pai sempre foi para mim um exemplo de um monte de coisas legais e de um monte de coisas a não fazer (*risos*). Isso não gerou conflitos para mim. A análise foi importante para mim. Quando eu olho minha trajetória, consigo perceber que eu me aproximei sempre de homens mais fracos. Ou ganhavam menos do que eu ou eram absolutamente gentis e generosos. Eram homens mais femininos. As pistas de homens mais masculinos de alguma forma me jogavam em cima do modelo do meu pai. O homem provedor. O homem que trai. O homem que sacaneia. O homem que abandona. Eu precisei me separar de meu primeiro marido, ter um monte de namoros, para perceber que tinha um padrão aí nesse meio. Que eu tendia a ter mais facilidade com esse padrão. Eu sou uma mulher masculina.

Quais foram os momentos em que você procurou a Psicanálise?

O primeiro momento foi quando eu me separei daquele que seria o pai das minhas filhas. Eu fiz nove meses de análise, voltei para ele, engravidei e casei. Quando eu engravidei, eu procurei a Psicanálise de novo. Fui para uma mulher. Foi coincidência. Eu voltei porque achava que era um fardo ser mãe. Me ensinaram que era lindo e eu descobri um monte de problemas. Eu sentia uma culpa louca porque achava que não podia estar sentindo aquilo. Deveria ser maravilhoso. Quando eu engravidei pela segunda vez, eu procurei a Psicanálise pela terceira vez. Voltei para a segunda analista. Esta segunda analista trabalhava cara a cara. Isso era muito melhor para mim. Paralelamente a essa segunda analista, eu de vez em quando ia a um outro analista que era bem em frente ao meu escritório. Ele não gostava muito, mas me atendia.

Você recomenda que suas filhas façam análise?

A minha filha mais velha já fez durante um período. A minha filha mais jovem é louca para fazer. Ela tem dificuldades nas questões pessoais com o pai. Poderia ser bom para ela ou não, mas eu resisto muito. Por causa da personalidade dela eu acho que ela vai virar uma dependente. Eu prefiro que ela faça quando estiver adulta, consciente do que estará fazendo. É engraçado porque ela insiste nisso desde uns 10 anos.

TERCEIRO CASO

A análise me deixou mais suave comigo mesma. Eu me punia muito, eu era muito rígida, muito inflexível comigo mesma e, em consequência, com as pessoas à minha volta. Eu fui ficando mais doce.

Eu me surpreendi com tanta coisa que veio na análise. Quando você abre o porão vem tanto lixo, coisas boas e ruins. Quando o analista tentava aprofundar, eu começava a me defender porque doía.

Hoje, olhando retrospectivamente, vejo que, com certeza, a análise me ajudou e eu até lamento não ter continuado. Foi uma experiência excelente. Quando eu parei a análise, eu arrumei a desculpa que todo mundo arranja nessas horas: estou sem tempo.

Selma, 62 anos

Selma procurou análise por uma razão próxima àquela do primeiro caso que descrevemos: seu casamento. Embora ainda não houvesse se separado, seu casamento estava em crise e ela considerava que a separação era iminente. Decidiu se preparar emocionalmente para essa separação.

Selma reclama da dor que a análise causou quando se aproximou de alguns conteúdos psíquicos. Assustada, resolveu interromper sua análise, decisão da qual viria a se arrepender mais tarde. Entende que a análise a tornou menos inflexível, "mais doce".

Assim ela narrou sua experiência dentro de um consultório psicanalítico.

Por que você procurou a Psicanálise?

Primeiro eu estudei um pouco de Psicanálise com dois psicanalistas após eu ter concluído minha primeira faculdade por volta de 1970. Eu queria fazer a formação em Psicanálise. Após a morte de um dos dois psicanalistas, eu interrompi os estudos e fui estudar Administração. Eu comecei a trabalhar e deixei a Psicanálise para lá. Muito tempo depois, eu estava casada há uns quinze anos e meu casamento entrou em crise e aí eu fui procurar a Psicanálise.

Por quê?

Eu queria me conhecer um pouco mais naquela relação. Eu percebia em mim uma série de aspectos que gostaria de trabalhar na Psicanálise. Os meus estudos anteriores me ajudaram a entender isso. Eu tinha bastante claro para mim que eu tinha um modelo masculino na minha cabeça, que era a figura exata de meu pai, e eu projetava isso. Eu estava disposta a me separar. Eu fui então fazer análise e meu marido também, com um outro analista. Eu não lembro quem indicou meu analista. Eu escolhi um analista freudiano porque eu sou conservadora. Eu queria alguém que trabalhasse com a visão original de Freud.

O que você esperava da análise?

Eu esperava conseguir me abrir um pouco mais porque eu sou uma pessoa muito reservada. Eu cobrava muito das pessoas porque tinha uma posição de comando e era muito cruel. Eu tinha incorporado um perfil extremamente rigoroso, exatamente o perfil de meu pai. Eu sou muito identificada com ele. Ele era muito religioso. Meu pai era muito estudioso. Uma pessoa brilhante. Eu me cobrava muita solidez de meu marido, mas ele tem outro temperamento.

Como iniciou sua análise?

Eu comecei logo falando que eu queria me separar, eu queria me preparar emocionalmente para suportar uma separação. Meu rigor me levava a ver o casamento como uma coisa para a vida toda, mas eu queria me libertar. Eu precisava, então, me preparar para romper com isso. Meu analista tinha uma cara de paisagem, do tipo "não tô nem aí com isso" (*risos*). Eu tinha necessidade de falar. Eu não podia discutir a separação com meu marido. Eu tinha duas sessões por semana. Eu falava, falava e meu analista às vezes me colocava algumas questões, mas eu não ouvia. Eu não queria ouvir. Eu tinha medo do que ia ouvir. Tive momentos de muito choro, mas tive também reação contra o analista. Na verdade, eu esperava que ele me cortasse, que ele me dissesse "você não vê que está sendo uma idiota?". Meu pai teria dito para avaliar a situação e decidir. Ele respeitaria minha decisão, qualquer que ela fosse. Eu queria um analista pai, mas ele me frustrou. Após essa primeira fase, eu entrei em uma fase de tristeza, depressão, fiquei muito mal. Aí surgiu a dúvida de se eu havia extrapolado em meu desabafo. Eu também me surpreendi com tanta coisa que veio. Quando você abre o porão vem tanto lixo, coisas boas e ruins. Quando o analista tentava aprofundar, eu começava a me defender porque doía. Eu não deixei que ele abrisse mais as comportas porque nós estávamos indo mais para trás e ele ia trabalhar questões do início da vida. Aí começou o bloqueio. Eu comecei então a viajar muito e comecei a faltar às sessões. Eu comecei a pagar e não ir.

Você comentava com as pessoas à sua volta que você fazia análise?

Pouquíssimas pessoas sabiam. Eu preferia ocultar. Eu acho que só uma amiga e um amigo sabiam. Eu comecei por volta de 1984, quando havia uma espécie de febre de Psicanálise no Brasil. As pessoas buscavam a Psicanálise para resolver as questões que não conseguiam resolver sozinhas. Quanto chegou 1987, eu estava muito envolvida politicamente. Eu comecei então a questionar a análise, após estar uns quatro anos em análise. Eu alternei períodos de uma vez por semana a períodos de duas vezes por semana. Em paralelo, o que parecia ter sido uma grande crise no casamento começou a se ajustar. Ao mesmo tempo, eu percebi que estava chegando a hora de decidir pôr o dedo na ferida ou cair fora. Meu marido já tinha parado a análise há muito tempo. Ele entrou e saiu. Ele parou logo.

Em que a análise a ajudou?

Hoje, olhando retrospectivamente, vejo que, com certeza, a análise me ajudou e eu até lamento não ter continuado. Foi uma experiência excelente. Quando eu parei a análise, arrumei a desculpa que todo mundo arranja nessas horas: estou sem tempo. Na verdade, eu acredito que precisava ouvir a minha própria voz. Eu precisava me falar uma série de coisas e ele me permitiu isso. Quer dizer, a análise me permitiu isso e eu acho que só me permitiu porque ele não tentou interferir. A postura do analista era chata no início, porque eu cheguei com uma demanda e ele tinha aquela cara de paisagem, mas isso foi fundamental, porque qualquer levantar de sobrancelha, para uma pessoa fugidia como eu, seria muito fácil me defender. Eu tenho plena consciência dos mecanismos que utilizo para esconder as coisas de mim mesma.

Aí você parou sua análise?

Sim. Parei com a promessa de que voltaria quando tivesse tempo, mas isso nunca aconteceu. Eu nunca retomei a análise. Eu saí da análise com a certeza de que existem coisas a ser trabalhadas, mas eu não queria mexer nelas porque iria doer muito. Nessa época, eu havia começado a estudar astrologia e isso ajudou meu processo de autoconhecimento. O autoconhecimento que a Psicanálise me permitiu, eu usei com a astrologia. Isso foi uma continuação de minha busca. Eu então entendi que estava mais suave comigo mesma. Eu me punia muito, eu era muito rígida, muito inflexível comigo mesma e, em consequência, com as pessoas à minha volta. Eu fui ficando um pouco mais doce.

QUARTO CASO

Não será todo o pranto uma queixa e toda a queixa uma acusação? Assim dizes comigo e por isso preferes sorrir, alma minha, a derramar a tua pena, a derramar em torrentes de lágrimas toda a pena que te causa a tua plenitude e toda a ansiedade que faz que a vinha suspire pelo vindimador e pelo podão do vindimador.

Friedrich Nietzsche
Assim falou Zaratustra
Citado pelo Senhor N., 44 anos, em sua análise

O caso do Senhor N. envolve sadismo, masoquismo, sadomasoquismo e fetichismo. É muito interessante que ele tenha trazido para sua analista um texto do filósofo alemão Friedrich Nietzsche. O texto foi extraído do livro *Assim falou Zaratustra*, que, tendo influenciado significativamente o pensamento moderno, satirizou o Novo Testamento e apresentou os seres humanos como uma forma transicional entre macacos. Nietzsche é o autor de máximas provocadoras, tais como:

1. "A moral não tem importância e os valores morais não têm qualquer validade, só são úteis ou inúteis consoante a situação".
2. "A verdade é sempre subjetiva."

3. "Deus está morto: não existe qualquer instância superior, eterna. O Homem depende apenas de si mesmo."

É digno de registro observar que o texto que causou impacto no Senhor N. está impregnado de palavras que remetem diretamente ao universo da sexualidade: pudor, virtude, nua, pecado, voluptuosidade, amante e desejo. Isso seguramente não se deu ao acaso dentro dessa análise.

A passagem que escolhemos para abrir a narrativa de seu caso fala em vinha, em vindimador e no podão do vindimador. Uma vinha é um conjunto de parreiras, o vindimador é aquele que colhe as uvas utilizando uma tesoura especial, o podão, para cortar os cachos. Os versos que o Senhor N. escolheu para trazer para sua analista falam de um contexto no qual *"a vinha suspire pelo vindimador e pelo podão do vindimador"*. A vinha, o vindimador e seu podão parecem ter servido de símbolos para expressar as emoções do Senhor N. Estaria ele se vendo como uma fruta que deseja ser decepada/atacada pelo instrumento de um homem? Esta é uma pergunta para a qual apenas o Senhor N. e sua analista poderão achar uma resposta.

A narrativa do caso do Senhor N. foi gentilmente elaborada pela psicanalista Viviane Guimarães, profissional que o analisou.

O Senhor N. tem cerca de 50 anos de idade e está em seu segundo casamento. Não tem filhos. É p.h.D. em sua área de atuação. Procurou o tratamento psicanalítico porque diz ser um fetichista que tem fantasias eróticas que incluem fortes desejos de submissão. É o mais velho de três irmãos. "Sou o mais amado, o primogênito", fez questão de dizer. Filho de uma família de classe média, foi criado com rigor e disciplina. Embora não pertencesse a aristocracia, sua mãe era uma admiradora dessa classe social e tentou educar seus filhos segundo esses valores.

O paciente se queixa de que suas ex-mulheres, incluindo sua esposa atual, se recusam a compartilhar suas fantasias eróticas, o que lhe impede de manter relacionamentos duradouros. Sua atual esposa tem habitualmente atitudes muito firmes e decididas. É uma mulher ativa, exceto no ato sexual, no qual ela assume a posição de mulher passiva. Isso o incomoda, pois ele gostaria que ela fosse dominadora também nas relações sexuais.

Ele está em análise há cerca de um ano. Relatou em suas sessões que sua mãe era uma "mulher forte", ao contrário de seu pai. Iniciou as sessões descrevendo fantasias masoquistas, afirmando que durante muito tempo "eram fantasias". Disse que, quando jovem, teve uma experiência homossexual praticando felação (*sexo oral no genital masculino)*. "Pra não dizer que nunca tive uma experiência homossexual, chupei o pau de um cara quando eu era novo e não senti nada com aquilo. Ao contrário, tive nojo depois." Depois disso, passou a ter inúmeras fantasias de submissão, nas quais estaria em poder de uma dominadora sádica a quem chama afetuosamente de "dominatrix". Ao descrever suas fantasias, o Senhor N. passa por uma nítida transformação. Sua analista percebeu um tom de sedução, como se tentasse convencê-la a também adotar práticas sadomasoquistas.

O Senhor N. relatou em uma sessão um sonho que foi interpretado como um presente para a "dominatrix", na análise representada por sua analista. Esse sonho seria, portanto, mais uma de suas fantasias eróticas. "Muito bem, você me trouxe um presente?", perguntou sua analista quando ele lhe relatou o sonho. Ele riu ao perceber a desconfiança de que não tivesse realmente sonhado o que narrou.

Com o decorrer das sessões, o Senhor N. relata que o seu desejo fetichista foi se tornando mais forte. No princípio, relacionou-se via internet com mulheres que se diziam dominadoras sádicas. Esses encontros virtuais começaram a acontecer em uma sala de bate-papo especial para fetichistas. Depois partiam para as conversas e trocas de fotos através do MSN (Nota: O MSN

Messenger é um dos *softwares* de mensagens instantâneas via internet mais utilizados no mundo e é o favorito entre internautas no Brasil).

Quando fala a respeito das mulheres com quem pratica sadomasoquismo, o Senhor N. muda o tom de voz e se torna agressivo. "São umas bandidas! Querem dinheiro e presentes. Batem por bater, mas não sentem tesão nisso. O que me dá prazer é ver o tesão do outro. A mulher tem que gostar! Tem que sentir tesão em me humilhar. Só assim tenho prazer! Preciso encontrar uma mulher de verdade!" Neste momento, sua analista comenta: "Mulher de verdade..." Ele então responde que precisa encontrar uma "Mulher com M maiúsculo". Diz que isso é difícil. "Minha atual esposa quer mandar em mim o tempo todo, me dá ordens, diz o que devo e o que não devo fazer, mas na cama é completamente submissa. Isso me deixa irritado. Não gosto! Queria encontrar uma mulher que agisse exatamente ao contrário." Quando sua analista tenta falar sobre sua vida quando criança, sobre como seu pai e sua mãe o tratavam, ele sempre desconversa.

Sua analista lhe pergunta a respeito de suas experiências com mulheres de programa. "Algumas são umas baleias, gordas. Vou uma vez e não volto mais. Você acredita que teve uma que queria que eu transasse com um escravo dela?" Quando perguntado sobre como reagiu então, responde:

"O que você acha? Claro que não! Você não está pensando que sou *gay*, está?"

O Senhor N. afirma que seu prazer sexual está em situações em que é dominado. "Adoro ser submetido, humilhado!" Narrou que em suas atividades sexuais com mulheres de programa costuma usar algemas e arreios com bolas na boca. O arreio o impede de gritar ou reclamar. Só consegue gemer. Nessas sessões de dominação, gosta de ficar engaiolado ou de ficar preso em uma cruz chamada Cruz de Santo André. Esta cruz tem o formato de um X, em referência ao cromossomo feminino.

É importante ressaltar que o Senhor N. sempre falta às sessões que acontecem após esses encontros de dominação sexual sadomasoquista, possivelmente em razão da culpa que lhe acomete então.

"Qual é o ápice da dominação pra você?", pergunta em uma sessão sua analista. Sua resposta: "O momento em que sou sodomizado pela minha *domme*. É uma delícia! Adoro essa sensação e, te confesso, tenho muito tesão lá". O paciente relata que tem fantasias de estupro, onde a sodomização aconteceria contra sua vontade. "Eu me imagino sendo estuprado por uma linda e poderosa rainha *domme*, de preferência em um banheiro público ou dentro do meu carro. Eu estaria todo amarrado pra não poder gritar e ela meteria toda sua mão em mim, de preferência até o punho."

Quando se refere a suas fantasias, tenta novamente se tornar sedutor. Seu tom de voz é alterado para uma voz mais melodiosa e arrastada. Em seus relatos, descreve com riqueza de detalhes os cenários e as roupas utilizados na prática sexual sadomasoquista. Em alguns momentos da sessão, se mantém em silêncio e logo depois pergunta. "Está chocada, doutora?" Logo em seguida, muda o foco para o seu casamento. Mesmo reclamando do comportamento da atual esposa, ele a elogia. "Minha esposa é uma mulher muito bonita! Loura de olhos claros. Sempre fui tarado por louras." Apesar de estar no segundo casamento, não teve filhos e sempre desconversa quando o assunto é paternidade. "Minha vida afetiva ainda está muito instável pra poder ter um filho."

Durante suas últimas sessões, a analista observou algumas mudanças no Senhor N. Ele se esforçou por mostrar um lado mais afetivo, mais amoroso. Falou acerca de seus sentimentos e emoções durante a adolescência. Falou também a respeito de sua paixão pela fotografia, de trabalhos fotográficos que exigem grande sensibilidade artística. Seu tom de voz esteve então mais suave, menos agressivo. Apresentou um olhar diferente diante da figura feminina.

Em sua última sessão, trouxe para sua analista um poema. Foi observado que ele havia identificado no texto passagens que remetiam ao seu sofrimento psíquico. O texto trazido era parte do capítulo quatorze da terceira parte da longa obra de F. Nieztsche, cujo título é *Assim falou Zaratustra*. Apresentamos uma síntese deste capitulo a seguir:

O poema – do grande anelo

Alma minha, ensinei-te a dizer "hoje", como "um dia" e "noutro tempo" e a passar dançando por cima de tudo aqui, acolá e além.

Alma minha, livrei-te de todos os recantos; afastei de ti o pó, as aranhas e a obscuridade.

Alma minha, lavei-te do mesquinho pudor e da virtude meticulosa, e habituei-te a estar nua ante os olhos do sol.

Com a tempestade que se chama "espírito" soprei sobre o teu mar revolto e expulsei dele todas as nuvens e até estrangulei o estrangulador que se chama "pecado".

Alma minha, dei-te o direito de dizer "não" como a tempestade, e de dizer "sim" como o céu límpido: agora estás serena como a luz e passas através das tempestades.

Alma minha, restituí-te a liberdade sobre o que está criado e por criar; e quem como tu conhece a voluptuosidade do futuro?

Alma minha, ensinei-te o desprezo que não vem como o caruncho, o grande desprezo amante que onde mais despreza mais ama.

Alma minha, agora já não há em parte alguma alma mais amante, mais ampla e compreensiva! Onde estariam o futuro e o passado mais perto um do outro do que em ti?

"Não será todo o pranto uma queixa, e toda a queixa uma acusação?" Assim dizes contigo, e por isso preferes sorrir, alma minha, a derramar a tua pena, a derramar em torrentes de lágrimas toda a pena que te causa a tua plenitude e toda a ansiedade que faz que a vinha suspire pelo vindimador e pelo podão do vindimador.

Alma minha, dei-te tudo, até o meu último bem, e as minhas mãos por ti se esvaziaram: ter-te dito que cantasses foi o meu último dom.

QUINTO CASO

Eu procurei a análise para colocar limites no meu pensar. Eu sempre tive medo de ficar louco, de ficar fora de mim.

A Psicanálise me deu o que eu fui buscar. Ela me deu as cercas, os muros, os limites. Essas cercas não me deixam ficar louco. Ficar louco significa fazer coisas que mais tarde eu não suportaria saber que tinha feito.

A análise é uma ferramenta indispensável para mim. Eu não vivo sem análise hoje porque é aliviante demais. Eu não sou dependente da análise como se é dependente de uma droga.

Paulo, 42 anos

Paulo chegou muito jovem ao analista. Tinha 15 ou 16 anos. O que o empurrou para a análise foi a dor. A dor de sentir-se apaixonado por outro rapaz e não saber como agir. O que fazer com aquele sentimento? Como lidar com o sentimento e com o ser amado? Chegou ao analista em busca de uma solução para aquele problema. Ansiava que a análise funcionasse como um remédio que o curasse do que sentia e do que temia ser. Logo percebeu que a análise o fortaleceria para que ele lutasse suas batalhas e vencesse suas guerras.

A homossexualidade de Paulo trouxe-lhe dores e sofrimentos. Mais tarde, entendeu-se bissexual. Hoje, sente-se aliviado pela análise e diz não conseguir viver sem ela. O analista o impulsiona a pensar e, em meio a um amplo sorriso e fulgurante brilho nos olhos, afirma que quem é analisado pode ganhar uma vida que nunca imaginou ser possível viver nesta terra. O que será essa vida sobre a qual Paulo fala com tanto entusiasmo? É melhor que deixemos o próprio Paulo falar e nos explicar como a Psicanálise pode conduzir a essa vida.

Quando você iniciou sua primeira análise?

Eu tinha 15 ou 16 anos. Hoje estou com 42 anos.

Por que você procurou a análise?

(*O olhar se eleva para o teto e os olhos logo varrem toda a sala*). Eu queria colocar limites no meu pensar (*Pausa. Longo silêncio*). Eu falava na época que queria colocar cercas no meu pensar. Eu sempre tive medo de ficar louco, de ficar fora de mim. Eu sempre achei a loucura uma coisa possível. Eu nunca achei uma coisa impossível.

O que você sentia na época?

Eu pensava coisas fantasiosas demais. Ilimitadamente. Eu não parava de pensar em algumas coisas. Algumas eram obsessivas. Eu pensava: "Aonde é que eu vou parar?". Aquilo me assustava. Eu tinha uma dúvida sexual acima de tudo. Era muito constante, muito presente. Eu ouvi uma pessoa falar em um curso que fiz recentemente que o homossexual já vem assim. Com 6, 7, 9 anos, eu já gostava de brincar com meninos.

Isso te assustava?

Com 6 ou 9 anos eu achava um barato, mas com 16 ou 19 anos... Você não quer ser o veadinho da turma, né? (*sorriso nervoso*).

Você conversava sobre isso com seus pais?

Não. Eles mais tarde chegaram até a me dar uns flagrantes, mas sempre foi uma coisa velada. Nunca conversamos abertamente sobre isso. Eu achava que eles sabiam ou suspeitavam, mas eles nunca falavam nada abertamente.

Como era a sua família nessa época?

Meu irmão tinha passado para um colégio na zona sul e tinha de vir do subúrbio todo dia. Minha mãe caiu em profunda depressão algum tempo depois quando o casamento com meu pai entrou em crise. Ela passava dias e noites chorando no sofá da sala. Eu tinha uns 15 ou 16 anos. Eu era responsável por levar minha mãe de táxi em alguns lugares toda semana, inclusive a uma analista. Nós já tínhamos mudado para a zona sul. Um dia eu fiquei curioso sobre a analista e perguntei se podia entrar para ver como é que era. No táxi de volta para casa, eu perguntei à minha mãe se eu podia ir ao analista também para conversar umas coisas. Falei para ela que achava que às vezes você quer dizer algumas coisas e não sabe direito como dizer. Ela conversou com meu pai e acabei indo ao analista. Fiquei dois meses indo à analista, antes de ir para a Europa em um programa de intercâmbio para aprimorar o meu inglês.

Como foi a primeira sessão de análise?

Ela me perguntou "O que o traz aqui?". Eu respondi: "Eu gosto de meninos e não consigo dizer não pro meu pai". Esta era a questão que eu tinha na época. Eu não sei por que eu não conseguia dizer não para o meu pai. Era uma coisa mais do que mística. Eu me lembro de um dia em que eu estava descendo para ir comprar cigarros e alguém falou "Olha lá. É igualzinho ao pai". Eu me empinei todo e me senti elogiado, vangloriado, reconhecido. Quando eu percebi, a pessoa estava falando de um outro cara que também estava passando na hora (*risos*). Foi uma puta experiência porque aquilo me enobrecia. Meu pai era um guerreiro. Um comerciante que veio de baixo. Aí, eu falei para a analista que eu me assustava com algumas coisas que eu pensava. Eu me assustava com o meu desejo sexual. Eu falei que eu me sentia muito preso. Atualmente, eu tenho usado o termo cativo. Tenho usado muito a palavra cativeiro. Havia a cobrança sobre o que vai ser quando crescer.

Eu não estava indo bem na escola, ao contrário do meu irmão, que é dois anos mais velho. Meu irmão é muito careta e eu sempre fui anticonvencional.

Você se deitou no divã e se abriu facilmente na primeira sessão?

Foi cara a cara. Eu me lembro que eu falei abertamente sobre a razão de eu ter ido lá. As primeiras sessões foram mais aliviantes do que angustiantes. Você está me fazendo lembrar de coisas remotas (*diz com um olhar perdido ao longe enquanto olha para cima*). A situação toda era muito angustiante, muito sufocante, muito avassaladora. Hoje eu sei que eu estava no meio de um *tsunami* e lá (*na analista*) eu pegava uns fôlegos. Eu lembro dela como uma pessoa muito incisiva. Era uma espécie de oásis para o turbilhão em que eu vivia. Era exatamente assim e hoje é mais ainda. Na época, era uma coisa culpada demais e talvez fosse mais um confessionário do que um oásis. Havia o alívio da penitência (*pensativo*).

O que te levou à análise?

O amor por um outro rapaz. Foi o meu primeiro amor homem (*olhos buscando algo ao longe*). Durante muito tempo foi o grande amor. Eu cheguei à analista em um estado de angústia altíssimo. Eu estava apaixonado por um homem e não sabia o que fazer.

A analista lhe dava conselhos?

Ela só aconselhava na área de saúde, sobre usar camisinha e a não usar drogas. Ela só dava conselhos sobre essas coisas, mas não fazia juízos de valor. Não dizia o que era certo ou errado.

Como você via a sua família?

Eu via meu irmão mais velho como um herói. Minha mãe era submissa e o meu pai era o macho dominador clássico, o provedor da família.

Por que você foi estudar na Europa?

O objetivo era sair daqui. Fiquei apenas quatro meses. Eu queria sair do meio daquele *tsunami*. Deu para dar uma esquecida naquele amor. Deu uma amainada. A partir daí e durante muito tempo da minha vida eu passei a fugir desse desejo. Eu dizia para mim mesmo que eu não sentia aquilo. Depois eu descobri a coisa de ser bissexual. Nossa! (*risos*) Quando eu descobri isso foi ótimo! Passou a ser uma coisa tão obsessiva que virou matemática. Se eu transasse com um cara, eu tinha de transar com uma mulher. Se eu transasse com uma mulher, eu tinha de transar com um cara. Sempre no dia seguinte. Tudo porque eu era bissexual e tinha de equilibrar. Não podia repetir.

Você esqueceu aquele amor?

Eu dei uma amainada e caí na vida. Eu tenho

um amigo que diz que eu, em termos sexuais, não passo fome. Ou vai uma coisa ou vai outra. Posso falar tudo? (pergunta para mim e eu *respondo que sim*). Às vezes eu me considero um pervertido. Eu não me seguro. Eu caio dentro mesmo. Eu já tive um episódio de zoofilia com um cachorro. Foi por curiosidade. Eu passei leite condensado no pau e coloquei o cachorro para lamber. Eu já meti em uma bananeira. Tinha um buraco na bananeira, eu coloquei uma camisinha, introduzi e gozei. Posso dizer que já fiz sexo com bicho e com planta. Eu sempre fui muito libertino. Não há limite entre o que eu posso e o que eu não posso.

Você sentia culpa depois?

Com o cachorro e a bananeira, não. Com alguns homens, sim. Eu tive uma formação muito católica, muito clássica. Durante muito tempo eu tentei fugir. Durante muito tempo eu vivi escondido.

E o seu casamento?

Eu adoro a minha mulher. Eu tenho tesão por ela. Eu amo minha mulher. Nós estivemos separados por pouco mais de um mês agora e eu me lembrei muito de nossos tempos de recém-casados. Eu corria do trabalho para vir almoçar em casa e poder dar umazinha. O casamento com ela também serviu como uma fuga da sexualidade.

Fugir no sentido de botar um limite. Antes de casar, eu pensava que, a partir do momento em que eu casasse, eu não ia mais me relacionar com homens, mas não foi o que aconteceu.

Isso gerou uma culpa?

(*Suspira fundo*) Cara, eu ouso te dizer que, até março do ano passado, isso era vivido com culpa. Não tinha só culpa, mas tinha culpa. Em março do ano passado eu comecei um relacionamento forte. Até esse cara, sempre rolava uma culpa maior ou menor ou mais extensa ou mais velada ou mais exposta. Esse não foi o primeiro relacionamento (com homem) durante o casamento. Houve relacionamentos isolados, mas houve dois pancadas. Teve um que eu quase me separei para ir morar com o cara. Quase. Por muito pouco. Amor mesmo (masculino) eu tive quatro e o atual é o mais tranquilo desses relacionamentos (*suspira fundo*). Essa tranquilidade pode ser consequência de minha idade, da ocasião, do tempero, dos ingredientes ou dos personagens. Acomodou.

Quando você voltou da Europa voltou para a mesma analista?

Sim. Fiquei mais de dez anos com ela. Eu voltei pra análise novamente por causa da questão sexual. Era a questão mais aflitiva. Nessa época, eu comecei a trabalhar com meu pai na empresa na qual ele era um dos sócios. Quando eu cheguei lá, eu encontrei um cara que também tinha ido trabalhar nessa empresa porque o pai dele também era um dos sócios. Esse cara estava lá há uns dez anos e parou ali! Ele passou a representar tudo o que eu não queria porque eu queria superar o meu pai. Eu fiquei muito tempo lá.

Sua família conversava sobre os seus problemas?

Na minha família não se fala muito, não. Talvez a minha necessidade é que seja maior e não seja o caso de eles falarem pouco. Não se conversa sobre os problemas em minha família. Eu tive um tempo de separação, de abstinência da Psicanálise. Eu sentia muita falta.

Do que você sentia falta?

Do alívio que isso dá. Tem uma frase que surgiu durante minha primeira fase de análise. "A palavra é o dedo no gatilho do desejo e o amor é a única arma possível." Eu não sei se esta frase é minha ou se é da analista. Esta frase surgiu durante minha primeira fase de análise.

Que lembranças você tem a respeito de como você se sentia após as sessões de análise?

Eu saía de lá aliviado, mas não era só alívio. Havia momentos de dor. Não lembro de momentos de atrito. Ela era muito determinada. Eu me lembro de que durante anos em minha vida eu me olhava no espelho e me perguntava se eu era veado ou não. Não é isso. Não é tão simples assim. Anos depois, eu assisti ao (seriado americano) *Housewives*. Uma mulher pegou alguém transando com o filho dela. Chamaram o reverendo para conversar com ele. O moleque falou assim: (*fala em tom de sussurro, como se contasse um segredo*) "O fato de eu gostar de sorvete de morango não impede de eu gostar de sorvete de chocolate". Eu gosto do inusitado.

Você mudou de analista há muitos anos? Qual a razão?

Estou trabalhando com este segundo analista há doze anos. Surgiram alguns problemas e eu achei que estava na hora de mudar. Eu procurei uma outra analista e disse para ela que eu queria um analista homem. A grande questão era com o pai e com a sexualidade. Por causa disso, eu achava que uma analista mulher teria uma visão complacente. Como uma Grande Mãe, assim como minha mãe foi complacente. Já estava claro então para mim que a grande questão era o pai. Eu fui então indicado para dois analistas. Eu fiz uma entrevista com o primeiro e não gostei. Com o segundo analista o trabalho prossegue até hoje.

Em que estes últimos doze anos de análise contribuíram para você?

Esse trabalho me deu o que eu fui buscar. Ele me deu as cercas, os muros, os limites. Eu não havia encontrado essas cercas no trabalho com a primeira analista. Essas cercas não me deixam ficar louco. Ficar louco significa fazer coisas que mais tarde eu não suportaria saber que tinha feito. Eu sempre achei que tenho alma de artista. Sempre quis ser escritor. Sempre quis viver em uma suprarrealidade. Ficar louco significaria perder o contato com essa realidade concreta. Eu faço as minhas loucuras, mas eu sou o pai, eu sou o marido, eu sou o empresário. Essas âncoras me mantêm em conexão com a realidade. Eu gosto da capacidade de criar personagens, de criar enredo, de criar histórias. Cada vez que eu me relaciono, seja com um homem, seja com uma mulher, eu crio um novo enredo, uma nova história.

Que mecanismos a análise te deu para suportar esse período de tensão durante essa recente separação de sua esposa?

Olha só. É uma ferramenta indispensável para mim. Eu não vivo sem análise hoje porque é aliviante demais. Eu não sou dependente da análise como se é dependente de uma droga. Em minha vida, a relação com o analista é muito mais uma questão de espelho, de reflexo, do que da própria presença dele. É muito mais uma questão de eu ir lá falar e verbalizar do que buscar algum tipo de direção. Entendeu? Eu não quero que o analista diga o que eu devo ou não devo fazer. Meu analista nunca faz isso, mas ele sempre acaba as sessões com uma pergunta. Isso é o mote para a próxima sessão. Isso me leva a pensar e às vezes, quando estou dirigindo indo para o trabalho, eu me pego falando com o analista como se ele estivesse ao meu lado. Eu não espero que ele me diga "faça isso" ou "faça aquilo". O analista mais instiga do que resolve. Ele me impulsiona a pensar.

Quando você iniciou sua primeira análise na adolescência, o que você pensava a respeito do futuro?

Eu queria ser artista. Eu me achava diferente. Eu me achava um transgressor. Na escola, um dia eu escrevi que eu era diferente. A freira me chamou para conversar. Eu falei que não era um diferente apenas na questão sexual. Era um diferente de querer ser músico, de gostar de ler. Eu sempre gostei de ler. Eu sempre procurei as cercas. Com 8 ou 10 anos de idade eu já vivia na biblioteca da escola. Eu lia tudo. Um dia eu li um livro que narrava uma história na qual havia um episódio onde um homem enfia o dinheiro no cu. Eu falei para a minha mãe que ela tinha de ir à biblioteca ver os livros que eu estava pegando. Eu já procurava os limites, as cercas. Eu disse a ela que ela não podia me deixar ler qualquer livro. Meus pais não botavam cercas em mim. Embora fosse uma família tradicional, não era uma família castradora.

Você buscou a análise como uma solução para a questão sexual, como se ela fosse um problema que precisasse ser solucionado?

Busquei em um primeiro momento. Logo que eu comecei a primeira análise, comecei a ler alguns livros. Eu lembro de uma imagem muito clara de um cérebro desenhado como uma escada em caracol. O texto falava de Freud. A gravura mostrava os mistérios da mente humana. A gravura me mostrou que a Psicanálise lida com a pesquisa, não com a determinação. No início, eu usei a análise para combater aquilo que eu sentia. Eu não queria sentir aquilo. Era como se eu dissesse: "Me cure disso, doutor". Depois passou para um negócio de conviver. Eu passei a ver a questão sexual por trás do drama humano.

Você acha que a Psicanálise te salvou de algo perigoso?

Salvou. Ela me salvou de algo parecido com o que o Cazuza viveu. Se eu não tivesse casado em 1992 e se eu não tivesse feito análise, eu teria acabado igual ao Cazuza. Eu já teria morrido de Aids. Eu já teria perdido o rumo. Há alguns escritores loucos que nasceram na mesma data em que eu nasci. Pode ser um mito que eu inventei. Hemingway, por exemplo, se matou. Há alguns malucos eméritos. Van

Gogh também nasceu nesta data ou cortou a orelha nesta data. Há uma coisa destrutiva, mórbida. Uma coisa que me assusta. Eu me lembro de uma época em que trabalhei com uma pessoa que trabalhava voluntariamente com pessoas deficientes. Essa pessoa me disse que trabalhava com deficientes porque achava que um dia teria um filho deficiente. Eu encasquetei que meu filho morreria e eu ainda nem tinha filho! Eu comecei a me preparar para isso. Vivi essa tensão durante uns seis meses. Eu queria ter um filho homem e acabei tendo. Eu sempre imaginei ter dois filhos e adotar um. Consegui. Eu pensava em ter um grande amor. Consegui. De março do ano passado para cá, eu consegui viver a sexualidade sem culpa. Houve um alívio. O amor pode se chamar Maria, Marcos ou João, mas depende da sua capacidade de amar. Eu tenho a capacidade de amar duas pessoas ao mesmo tempo mesmo que sejam de sexos diferentes. Eu não sei se eu seria capaz de amar duas pessoas do mesmo sexo ao mesmo tempo. Eu acho que não. Nunca rolou.

O que você diria para uma pessoa que esteja em dúvida sobre fazer análise?

Nossa! (*rindo alto*) Faça! (*risadas*). Eu te dou o telefone de vários analistas (*rindo*). Dê o seu jeito. Pare de fumar, faça exercício e faça terapia. Você ganhará uma vida que você nunca imaginou que fosse possível viver nesta terra.

Quando procurar um analista?

Pessoas que estejam severa ou cronicamente ansiosas ou deprimidas, pessoas que tenham repetidas dificuldades em relacionamentos, pessoas que tenham dificuldade para se relacionar ou pessoas que sintam um vazio injustificável em suas vidas podem se beneficiar significativamente do tratamento psicanalítico.

Associação Psicanalítica Internacional (IPA)

Ao chegar a esta parte do livro, talvez você esteja se fazendo uma pergunta. Quando eu devo procurar um psicanalista? Para responder a esta pergunta, pensamos ser muito apropriado apresentarmos as respostas que foram dadas a uma outra pergunta: Psicanálise para quem? Esta pergunta está apresentada no *site* da Associação Psicanalítica Internacional (IPA) [13]. Esta associação foi fundada em 1910 pelo próprio Sigmund Freud e tem sua sede em Londres, Inglaterra. A pergunta que dá origem a este capítulo é respondida pela associação com a apresentação de cinco situações:

1. Ansiedade persistente.
2. Depressão persistente.
3. Insatisfação persistente com a vida.
4. Vícios.
5. Desordens alimentares.

Estas situações apresentam de forma clara e objetiva o tipo de problema para o qual a Psicanálise apresenta soluções. Estas situações englobam as chamadas "dores psíquicas" ou "dores da alma" para as quais a Psicanálise mostra-se como uma alternativa de cura. Entendemos que estas cinco situações representam, na realidade, uma apresentação bastante simplificada dos casos para os quais a Psicanálise é recomendável. Mesmo para pessoas que não sofram desses males, a Psicanálise dará uma grande contribuição para que sua qualidade de vida seja aumentada, principalmente através da possibilidade de levar o analisando a um maior autoconhecimento. Essa conquista, como vimos em outros capítulos, produz grandes ganhos psíquicos para uma pessoa, especialmente através do seu fortalecimento para enfrentar as adversidades que surgem a todo momento em nossas vidas.

Passemos, então, à análise das cinco situações que a IPA apresenta como o foco terapêutico do tratamento psicanalítico feito por um analista em consultório.

Ansiedade persistente

O dicionário com o qual estamos trabalhando desde os primeiros capítulos deste livro define ansiedade como um "estado afetivo caracterizado por um sentimento de insegurança". É natural e desejável que sintamos ansiedade em muitos momentos de nossa vida, pois esse estado afetivo é essencial para nos preparar para a ação nas mais variadas situações em nossas vidas. É absolutamente normal estar ansioso às vésperas de uma prova importante, antes ou durante uma entrevista para conseguirmos um emprego, próximo à sua cerimônia de casamento e outras situações que acontecem várias vezes em nossas vidas. Por outro lado, não é normal que este sentimento de insegurança continue por um longo tempo após aqueles acontecimentos. Dessa forma, um estado prolongado de ansiedade pode ser um indicativo de que algo esteja errado. Sentir-se persistentemente ansioso sem que algo tenha provocado esse sentimento, sentir-se desamparado e impotente frente à vida e/ou frente aos problemas que precisam ser encarados é um forte indicativo de que alguma coisa está errada e a Psicanálise pode e deve ser utilizada para ajudá-lo a diminuir ou mesmo a livrar-se desse intenso sentimento desagradável e indesejável.

Depressão persistente

No caso da depressão, basta ela estar presente para concluirmos que é chegada a hora de procurar um analista. Como depressão é uma doença, sua cura passa necessariamente por acompanhamento terapêutico. Nesse sentido, pensamos ser desnecessário enfatizar-se o aspecto *persistente* desta enfermidade. Dedicamos neste livro um capítulo exclusivamente a esta doença devido à grande incidência que ela apresenta neste início de século XXI. Nunca é demais lembrarmos a importância de se distinguir entre tristeza e depressão. Estar triste é uma parte inevitável de nossas vidas. Estar deprimido é estar doente, embora a palavra *deprimido* seja constantemente utilizada no lugar de *triste.* Em caso de dúvida, é aconselhável procurar um analista que poderá, inclusive, encaminhar o paciente a um psiquiatra para que se faça um trabalho suplementar com a utilização de medicamentos.

Insatisfação persistente com a vida

Chamo sua atenção mais uma vez para o emprego da palavra *persistente* neste item. Fazemos isso porque entendemos que todos nós ficamos uma vez ou outra insatisfeitos com nossas vidas, duvidamos de nossas possibilidades de sucesso e/ou de alegria no presente ou no futuro e sentimos que o que temos em nossa vida, incluindo família e bens, não é suficiente para nosso bem-estar. Isso é comum. Além de ser comum, creio que também é saudável porque a insatisfação com algo pode levar uma pessoa a esforçar-se para mudar a situação. A persistência da insatisfação é que pode ser um indicativo de que a pessoa não está apenas passando por um mau momento ou por um momento difícil: ela pode estar doente e precisando de apoio especializado de um profissional. Imagine uma pessoa que tenha perdido um ente querido que faleceu. Este evento, naturalmente, fará com que ela se sinta triste, o que poderá levá-la a sentir-se desamparada e insatisfeita com a vida. Isso é típico do estado de luto. Entretanto, não é normal que esse estado de luto permaneça por um longo tempo. Caso isso aconteça, é aconselhável procurar ajuda psíquica através de um profissional.

Vícios

Vícios têm uma abrangência muito grande. Há uma infinidade de coisas em que podemos nos viciar e, à medida que o homem cria novos objetos e práticas sociais, novas modalidades de vício surgem. Imagine pensar-se há cinquenta anos que alguém poderia um dia se viciar em ficar em frente a uma máquina por horas a fio? Não é exatamente isso que acontece por causa da internet? Você provavelmente já se relacionou de alguma maneira com um viciado. Imagine o vício pelo álcool, cigarro, drogas ilícitas como a maconha ou a cocaína, jogo, sexo e até por comprar compulsivamente. A Psicanálise procurará descobrir por que uma pessoa se viciou em algo em vez de comportar-se perante isso como faz a maioria das pessoas que utilizam a mesma coisa sem se viciar. A Psicanálise procurará tornar conscientes elementos que estão registrados no inconsciente da pessoa viciada a fim de que ela possa entender a razão ou as razões de seu vício ou de seus vícios.

Desordens alimentares

Esse tipo de problema é cada vez mais comum. A pressão social sobre um modelo ideal de corpo é frequentemente culpada por doenças que fazem com que as pessoas não queiram comer, queiram vomitar após ter comido ou mesmo que passem a comer demais. Estas doenças são, respectivamente, chamadas de anorexia, bulimia e transtorno do comer compulsivo. A busca excessiva por um belo corpo pode ser um indicativo de que algo está errado. A tarefa da Psicanálise nesses casos será descobrir o que na história de vida da pessoa contribuiu para produzir comportamentos em relação à comida que são classificados como doentios.

Em todos esses cinco contextos patológicos, a Sociedade Internacional de Psicanálise define o objetivo do tratamento psicanalítico como sendo o de "permitir que você encontre soluções física e psicologicamente saudáveis para sua vida inteira".

Conclusão

A Psicanálise encontra apoio sempre crescente como método terapêutico, devido ao fato de que pode fazer mais pelos seus pacientes do que qualquer outro método de tratamento.

Sigmund Freud

As primeiras cenas do filme *Sociedade dos poetas mortos* são uma bela alegoria que nos mostra os benefícios que a Psicanálise pode proporcionar para aqueles que dela se utilizam.

Essas cenas mostram o primeiro dia de aula em uma escola de elite. A cerimônia que marca o ingresso dos alunos na escola tem cenas que podem representar aquilo que acontece em uma terapia psicanalítica. Vemos os alunos entrando em uma capela, cada um deles segurando uma vela apagada. Após todos se sentarem, o professor mais antigo da escola, que tem uma vela acesa em suas mãos, acende a vela do primeiro aluno sentado na primeira fila. Este aluno, por sua vez, acende a vela do colega que está ao seu lado e assim acontece sucessivamente, até que todos os alunos tenham suas velas acesas. O objetivo da cerimônia é mostrar o ato de acender as velas como um símbolo do surgimento da luz do saber, uma concepção muito antiga da Educação. A ideia principal dessas cenas é a seguinte: onde havia as trevas da ignorância, passou a existir a luz do conhecimento. Iluminou-se a ignorância. Algo bem parecido acontece em uma análise, onde psicanalista e analisando trabalham para que aspectos obscuros e/ou desconhecidos da mente humana sejam iluminados. A *iluminação* em uma análise significa o conhecimento que paciente e analista adquirem sobre a mente do paciente. Quando adquire esse conhecimento, o paciente se fortalece psiquicamente e passa a ter maior poder sobre sua saúde mental. Cumpre-se, assim, a máxima freudiana de que só o conhecimento leva ao poder.

Ao final deste livro, voltamos ao seu início e ao seu meio. Você se recorda do que a atriz Lília Cabral fala da personagem Mercedes, a protagonista do filme *Divã* que apresentamos no primeiro capítulo? Segundo a atriz, a personagem central do filme procurou um analista sem saber bem para quê. Após iniciar sua análise, ela foi se conhecendo cada vez melhor e sua vida mudou. "Ela viu que não estava vivendo. Ou melhor, ela estava vivendo, mas não era feliz," disse a atriz sobre a personagem Mercedes.

Lembramos também uma fala de Paulo, um dos pacientes que descreveram sua experiência com Psicanálise. Quando perguntado sobre o que ele diria a uma pessoa que nunca tenha feito análise e que esteja em dúvida sobre começar ou não, ele disse: "Você ganhará uma vida que nunca imaginou que fosse possível viver nesta terra". Embora possa parecer um pouco exagerada, a fala de Paulo é fortemente ilustrativa dos benefícios que a Psicanálise propicia.

Naturalmente, a Psicanálise também tem seus fracassos, mas mesmo aqueles que tenham tido experiências malsucedidas não passam incólumes pelo processo analítico. Este processo é profundamente transformador, pois ninguém passa pelo divã de um analista sem ser de alguma forma tocado e transformado pela experiência.

Analisar-se é, portanto, um autêntico ato de coragem, pois a trajetória de uma análise não se dará sem dor. A Psicanálise não deverá nunca exercer o papel de consoladora. Este papel cabe às religiões e, talvez, às filosofias. A Psicanálise exerce o papel de problematizadora, na medida em que nos leva a questionar valores e crenças enraizados, coisas às quais nos acostumamos a acreditar durante toda a nossa vida.

A própria expressão "fazer análise" indica que este é um processo laborioso. Não dizemos que "faremos uma consulta" quando temos uma consulta médica regular. Dizemos que o médico nos atenderá. Portanto, ele "dará uma consulta", o que indica que o trabalho nesse processo médico está muito mais centrado no agir, no trabalhar do médico. O médico é o profissional que *dá* a consulta e o paciente é quem a *recebe*. Em Psicanálise, temos exatamente o oposto. É preciso que ambos, paciente e analista, trabalhem em conjunto *fazendo a análise* acontecer.

Na medida em que, em última análise (sem trocadilho), o processo psicanalítico objetiva propiciar melhor qualidade de vida àqueles que se submetem ao seu método centenário, a Psicanálise pode trazer benefícios a qualquer um em maior ou menor extensão. Podemos aqui incluir pessoas que sofrem de um profundo desconforto psíquico e até mesmo pessoas que apenas desejam se conhecer melhor. Lembre-se da relação entre conhecimento e poder. Quanto mais nos conhecemos, mais poder temos sobre nossa vida, sobre nosso destino, sobre nossa trajetória neste planeta.

Caso você, após ler este livro, decida fazer análise, procure entre seus amigos qual deles pode lhe recomendar um profissional gabaritado. Se não conhecer ninguém que já tenha sido analisado ou que conheça um Psicanalista para lhe indicar, procure uma Sociedade psicanalítica de boa reputação em sua cidade. Lembre-se de que são as sociedades psicanalíticas que formam psicanalistas.

Recursos econômicos já não são mais um empecilho instransponível para se fazer análise. Muitas Sociedades Psicanalíticas oferecem análise a preços populares, principalmente as Sociedades Psicanalíticas de boa reputação e que não almejam apenas o lucro. Essas sociedades têm consciência de sua função social e dão acesso a preços reduzidos àqueles que não podem pagar os custos correspondentes.

Muna-se de coragem, paciência, dedicação e perseverança e inicie sua jornada psicanalítica em direção a você mesmo. Boa viagem!

Se a Psicanálise, ao lado de sua significação científica, tem valor como procedimento terapêutico, se é capaz de fornecer ajuda àqueles que sofrem em sua luta para atender às exigências da civilização, este auxílio deveria ser acessível também à grande multidão, demasiado pobre para reembolsar um analista por seu laborioso trabalho.

Sigmund Freud

Referências bibliográficas

1. http://www.divaofilme.com.br.
2. SOUSA e ENO, 2009, pág. 7.
3. ZIMERMAN, 2001, pág. 285.
4. TRIPP, 1987.
5. http://www.youtube.com/watch?v=1mitoHDrzNk.
6. ZIMERMAN, 2008, pág. 196.
7. CHENEY, 2008, pág. 11.
8. CHENEY, 2008, pág. 138.
9. http://portal.saude.gov.br/portal.
10. Jornal *O Globo*. Edição impressa de 03.09.09, pág. 34.
11. Jornal *O Globo*. Edição impressa de 15.09.09, pág. 26.
12. ZIMERMAN, 2008, pág. 196.
13. www.ipa.org.br.

Bibliografia

CHENEY, Terri. *Bipolar – Memórias de extremos*. São Paulo: Larousse do Brasil, 2008.

HOLANDA FERREIRA, Aurélio Buarque de. *Novo Dicionário Aurélio da Língua Portuguesa*. Conforme Nova Ortografia. 4ª Edição. São Paulo: Editora Positivo, 2009.

Ministério da Saúde: http://portal.saude.gov.br/portal/arquivos.

SOUSA, E.; ENDO, Paulo. *Sigmund Freud*. Porto Alegre: L&PM, 2009.

TRIPP, Rhoda Thomas (org.). *The international thesaurus of quotations*. London: Penguin Books, 1987.

ZIMERMAN, David. *Vocabulário contemporâneo de Psicanálise*. Porto Alegre: Artmed Editora, 2001.

________________. *Vivências de um psicanalista*. Porto Alegre: Artmed Editora, 2008.

Esta obra foi composta por Eveline Albuquerque em
Iowan e impressa em papel off-set 75g/m^2 pela
Ripress Gráfica e Editora para a Sá Editora
em outubro de 2010.